社内SNSを活用して
企業文化を変える

やわらかデザイン

富士通デザインセンター

はじめに

みなさんは、次のコメントを読んで、どの企業を思い浮かべるでしょう?

「忖度が多く、自由な発言がしにくい」
「他部署の人とはまったく交流しない、まさに村社会」
「何を提案しても『前例がない』と言われる」

いずれも典型的な「大企業病」の症状を示していますが、実はこれらのコメントは、数年前に開催された富士通グループの社内イベントで、参加した社員が自社に対する率直な思いを述べたものです。

富士通といえば、スーパーコンピューター「富岳」に象徴される世界トップクラスの技術力を持っており、就職人気企業ランキングや企業イメージランキングなどでランク入りの常連であることから、世間一般には好印象を持っている方が多いのではないでしょうか。

こうした企業の表の顔だけを見ると、「先進的」「風通しが良さそう」といったイメージを持つ方もいるかもしれませんが、そこは世界中に13万人もの従業員を擁するグローバル企業。これだけの規模ともなれば大企業病は避けられず、内部では息苦しさや、働きづらさを感じる声が、当時は高まっていたのです。

「こんな組織のままでは、優秀な人材が定着しないし、社会の激しい変化に対応できない。何とかしなければ！」

強い危機感を抱いた富士通では、トップダウンとボトムアップの両面から様々な取り組みを推進してきました。経営トップがただ指示するだけでなく、服装の自由化や社内SNS（ソーシャルネットワーキングサービス）の推奨など、自ら率先して改革に取り組んだ結果、最近では社内カルチャーが大きく変わりつつあります。

例えば、若手社員と役員がオンライン上で語り合ったり、社員同士が部門・部署の枠組みを越えて自発的にコラボレーションしたりと、「かつての富士通では考えられない！」と社員が驚くほどの変化が次々に生まれています。

なかでも象徴的な取り組みの一つが、2020年7月に誕生した組織横断型のオンライン・コミュニティ「やわらかデザイン脳になろう！（略称　やわデザ）」です。

マイクロソフト社が提供する企業向けSNS「Yammer」上で生まれたこのコミュニティは、誕生から3年足らずで三千名を超えるメンバーが集まるまでに成長。幅広い部門・部署から集まった多様なメンバー同士のつながりが、単なる社内交流にとどまらず、実際のビジネスにも波及し、数々の社内連携が生まれました。まさに、環境変化への柔軟性に欠ける「カチコチ組織」から、オープンで自発的なコミュニケーションやコラボレーションが活発な「やわらか組織」への変化を牽引しているのです。

本書の企画は、この3年間にわたる（そして今も進行中の）「やわデザ」コミュニティの活動を通じて得られた「気づき」や「教訓」を、組織改革に役立つ知見やノウハウとして確立できないだろうか、との思いからスタート。「せっかくなら富士通グループ内での活用にとどまらず、組織の課題に悩む多くの方々に役立ててもらいたい！」と書籍化したものです。

冒頭のコメントを見て、「これってうちの会社のことでは…」と思ったみなさん。

「うちの社員もこんなふうに思っているのでは？」と心配になった経営層や部門長のみなさん。

「入社する会社がこんな組織だったらどうしよう…」と不安を抱いている学生のみなさん。

その他、組織の課題に興味や関心のあるすべての方々に手に取っていただき、何らかのヒントをお届けできれば、これほど嬉しいことはありません。

※本書の取り組みは富士通グループ全体を対象としたものです。文中に「富士通」とある場合も「富士通グループ」を示しており、富士通株式会社のみについて触れる場合は「富士通本体」などと表記します。

目次

序章

なぜ、コミュニティなのか？

本書では、企業が抱える様々な「組織の課題」を、社内SNSを活用した「社内コミュニティ」の力で解決しようとする富士通グループの取り組みを紹介します。

その経験から得た知見やノウハウを、多くの企業に役立ててもらえればと思っていますが、ひと口に「組織の課題」といっても、企業によって認識が異なるでしょうし、「コミュニティ」という用語にも様々な捉え方があるでしょう。

そこで、本編に先立ち、まずは課題意識や言葉の定義などについて、みなさんと共有しておきたいと思います。

そもそもコミュニティとは?

まず、明確にしておきたいのがコミュニティの意味合いです。

幅広い文脈で使われるため、定義しにくい面がありますが、多くの人は「共同体」という意味で使っていると思われます。ごく単純化すれば、「複数の人間の集まり」を意味しており、その意味では、家族も、町内会も、企業も、SNSも、広い意味でのコミュニティと言えます。

社会学の分野では、1917年にアメリカの社会学者マッキーヴァーが「場所や空間を共有する結合の形式で、地縁による自生的な共同生活」と定義しています。日本では1960年代、急激な都市化を背景に、伝統的な地域秩序が失われつつある中で、政府主導で「モデル・コミュニティ構想」が提唱され、ここからコミュニティ=地域共同体という認識が広がってきました。

このように、近年まではコミュニティといえば地理的な側面が重視されていましたが、インターネットの普及により状況が一変します。SNSのようなオンライン・コミュニティでは、場所を問わず、世界中の人が自由に情報や意見を交換でき、ある種の共同体=コミュニティを形成できます。このため近年では、コミュニティが物理的な地域に限らず、人間同士の関係性を意味する言葉として用いられる場面が増えているようです。

本書がテーマとするのは「組織の課題」ですので、「コミュニティという用語に「地域コミュニティ」の意味合いは含めていません。あくまで対人的な意味合いで使用しているということを、まずご理解ください。

一方で、企業内におけるコミュニティ（共同体）としては、すでに各種の部門・部署が存在しています。本書で語るコミュニティとは、これら正式な組織とは別枠の、組織の枠を越えた人と人とのつながりです。

近年、社内外を問わず人材の流動化が進むとともに、コロナ禍を機にテレワークが普及したことで、企業内のコミュニティが変わりつつあります。社員同士の関係性が薄くなることへの懸念が高まる一方で、オンラインのメリットを活かして、普段はあまり接点のない組織の社員同士が容易につながることも可能になっています。本書が組織の枠組みを越えたコミュニティを論じるのも、こうした時代の変化を踏まえたものです。

組織の選択肢は「ピラミッド型」と「ネットワーク型」だけではない

次にみなさんと共有しておきたいのが、組織の課題についてです。

本書は「理想的な組織のあり方」を定義したり、押し付けたりするものではありません。というのも、理想的な組織のあり方は業種業態や規模、経営陣や社員の特性によっても異なるはずなので、「これが正しい」という正解はないと考えるからです。

例えば、日本企業の典型的な組織の課題に「縦割り組織」があります。組織ごとに独立性が高く、情報共有や業務連携が困難になっている状態を指すもので、互いの内容物が混ざらないよう独立構造を持たせた倉庫を意味する「サイロ化」とも呼ばれます。

縦割り組織（サイロ化組織）には、次のような課題が指摘されています。

・部門最適のみを追求して全体最適が無視されがち
・全社的な情報交流に乏しく「風通しの悪い風土」がまん延する
・一部の組織に情報が集中して内部不正が生じやすい
・意思決定が複雑化して経営スピードが低下する

こうした課題を解決するために、よく言われるのが、縦割りを招きがちな「ピラミッド型組

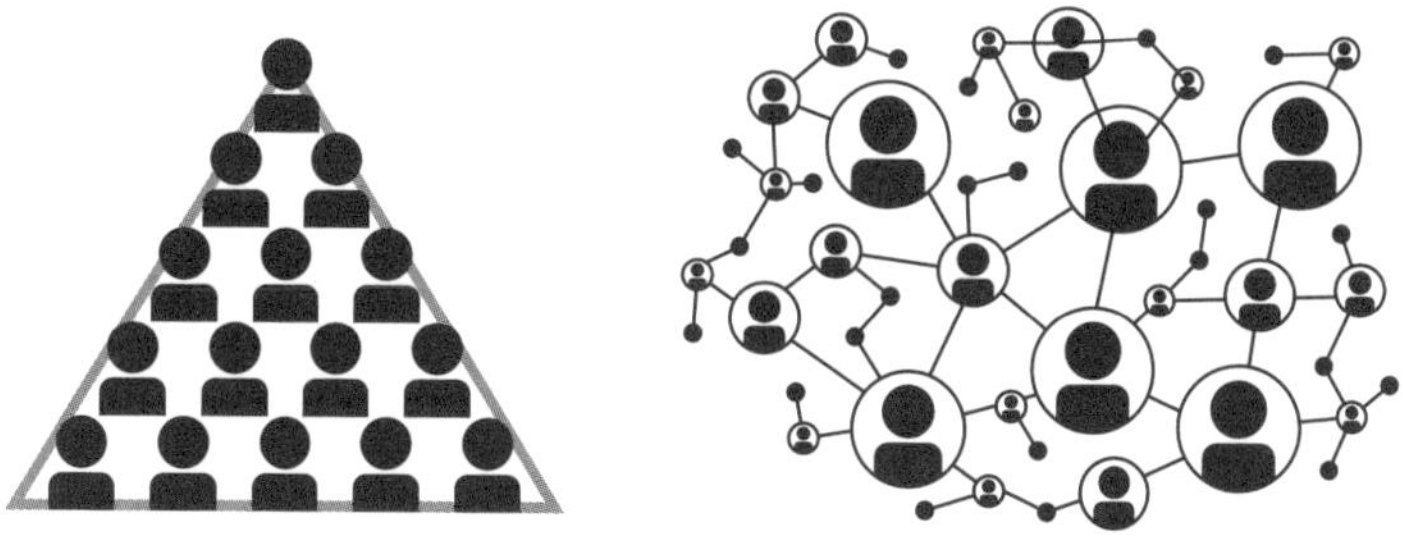

ピラミッド型組織とネットワーク型組織

織」から「ネットワーク型組織」に移行すべきというものです。

ピラミッド型組織とは、階層型の構造を持つことから「階層型組織」とも呼ばれ、多くの企業で見られる組織形態です。責任と権限の所在が明確で、指揮命令系統がわかりやすいという特徴があり、役割を明確に決めやすく、システマチックに組織を動かしやすいというメリットがあります。一方で、大規模な組織になると階層が増え、情報の伝達スピードが遅くなり、組織が硬直化しやすいというデメリットもあります。

これに対し、ネットワーク型組織は階層が存在せず、組織を構成するメンバーがフラットにつながることから「フラット型組織」とも呼ばれます。情報伝達や意思決定がスムーズで、組織内で自由に意見を出し合えるといったメリットがありますが、役割分担と責任の所在が曖昧になりがちで、組織としてのまとまりを欠くというデメリットもあります。

このように、どちらの組織形態にもメリット・デメリットがあり、一概に「どちらが正しい」と言えるものではありません。実際、富士通グループ内にもピラミッド型組織とネットワーク型組織が併存しており、それぞれデメリットに対策を打ちつつ、メリットを伸ばしていこうと取り組んでいます。

本書で取り上げる組織横断型オンライン・コミュニティ「やわデザ」は、ピラミッド型組織やネットワーク型組織の枠を越えて、共通のテーマ・関心を持つ社員同士をつなぐ場として機能し、両者のメリットを活かしつつ、デメリットを補うことで、組織全体の価値創造力を高めるための取り組みです。

カチコチ組織ではVUCAの時代を生き残れない

先に「理想的な組織のあり方は企業によって異なる」と述べましたが、一方で「組織をやわらかくすること」だけは、あらゆる企業に共通するテーマだと考えています。

本書でいう「やわらか組織」とは「環境変化に応じて変化できる柔軟性を持った組織」のこと。その対極にあるのが、容易には変われないほどに硬直化した「カチコチ組織」です。硬直化した組織を「官僚的」と表現しますが、2021年9月に立ち上がったデジタル庁でも「今までの枠組みに捉われないやわらかな組織」を目標に掲げており、官民を問わず、あらゆる組織のテーマと言えるでしょう。

では、なぜ組織が変化しないといけないのかというと、それは私たちを取り巻く環境が、かつてないほど急激に変化しているからです。よく「ＶＵＣＡ（ブーカ）の時代」と言われますが、ＶＵＣＡとは「Volatility（変動性）」「Uncertainty（不確実性）」「Complexity（複雑性）」「Ambiguity（曖昧性）」の頭文字をとった言葉で、将来の予測が困難であることを意味しています。

近年の国内経済は、気候変動や少子高齢化など社会課題の深刻化に加え、ＩＣＴの急激な進化・浸透によるユーザーの価値観やビジネスモデルの変化、グローバリゼーションの進展によるサプライチェーンの複雑化など、様々な変化が絡み合って先行き不透明な状況が続いています。また、コロナ禍による「ニューノーマル」と呼ばれる社会変化や、ロシアのウクライナ侵攻に伴う経済変化、ＡＩによる仕事や働き方の変化など、予測不可能な変化が次々に生じています。こうした環境変化に対応するためには、企業自身も変化しなければなりません。

組織も環境に応じて変化するという考え方は、近年、国内の経営層に広まりつつあります。その大きなきっかけとなったのが、フレデリック・ラルー氏が提唱した「ティール組織」です。ラルー氏は、組織の進化過程を次のように五つに色分けして論じています。

①レッド組織：権力者が支配的にマネジメントする「衝動型」
②アンバー（琥珀）組織：規律を重視し個々の役割を全うする「順応型」
③オレンジ組織：成果を重視してパフォーマンス向上を目指す「達成型」
④グリーン組織：平等と多様性を重視する「多元型」
⑤ティール（青緑）組織：個人も組織も柔軟に進化する「進化型」

進化形であるティール組織を目指すには、社会における組織の存在意義を確認し続けることが重要です。また、組織のメンバー一人ひとりが尊重、受容された環境下で、セルフマネジメント（自主経営）によって組織を変えていくことが求められます。

これらの条件を満たすうえでも、組織におけるコミュニティの役割が重視されるでしょうし、特に「やわデザ」のような組織横断型オンライン・コミュニティの存在が、大きな意味を持つと考えています。

本書をお読みいただくにあたっては、ぜひ、こうしたことを念頭に置いていただければと思います。

第1章

三千名超が参加する組織横断型オンライン・コミュニティ「やわデザ」はどのように誕生・成長したか

2020年7月に誕生した富士通グループの組織横断型オンライン・コミュニティ「やわらかデザイン脳になろう！（以下やわデザ）」は、いまやグループ各社・各部署から三千名を超える社員が参加する大きなムーブメントとなり、富士通の社内カルチャー変革を牽引する、まさに起爆剤となっています。

「はじめに」でも触れたように、本書は「やわデザ」の活動を通じて得られた「気づき」や「教訓」を、組織の課題解決や社内カルチャー変革に寄与する知見やノウハウとして活用できるようまとめたものです。しかし、いきなり結果を示されても、「なぜそうなったの？」と戸惑う方も多いでしょう。

そこで、具体的な知見やノウハウをお伝えする前に、まずはその前提となった富士通の活動そのものを、背景となる社内環境や、言葉の定義なども含めて紹介していきます。

少し長い前置きになりますが、どうぞお付き合いください。

背景にあったのは富士通経営陣の危機意識

2019年3月28日、富士通は新経営体制として、時田隆仁（ときた・たかひと）氏が新社長に就任することを発表しました。

就任の挨拶からは、富士通の現状に対する強い危機感がうかがえます。

発表会見で強い使命感と危機感を表明する時田新社長（右）

「富士通は優秀な人材や技術力を有しているが、今のサイロ化した縦割り組織のままでは、これらのパワーを結集して、ユーザーに寄り添うサービスを提供できない。富士通が標榜するサービスオリエンテッドカンパニーとなるためには、もっと変わる必要がある。それが私に期待されること」

こう語った時田社長は、就任後の経営方針説明会で「ＩＴ企業からＤＸ企業への転換」との方針を表明します。

ＤＸとは「デジタルトランスフォーメーション」を略したもの。経済産業省の「ＤＸ推進ガイドライン（現　デジタルガバナンス・コード２・０）」では「企業がビジネス環境の激しい変化に対応し、データとデジタル技術を活用して、顧客や社会のニーズをもとに、製品やサー

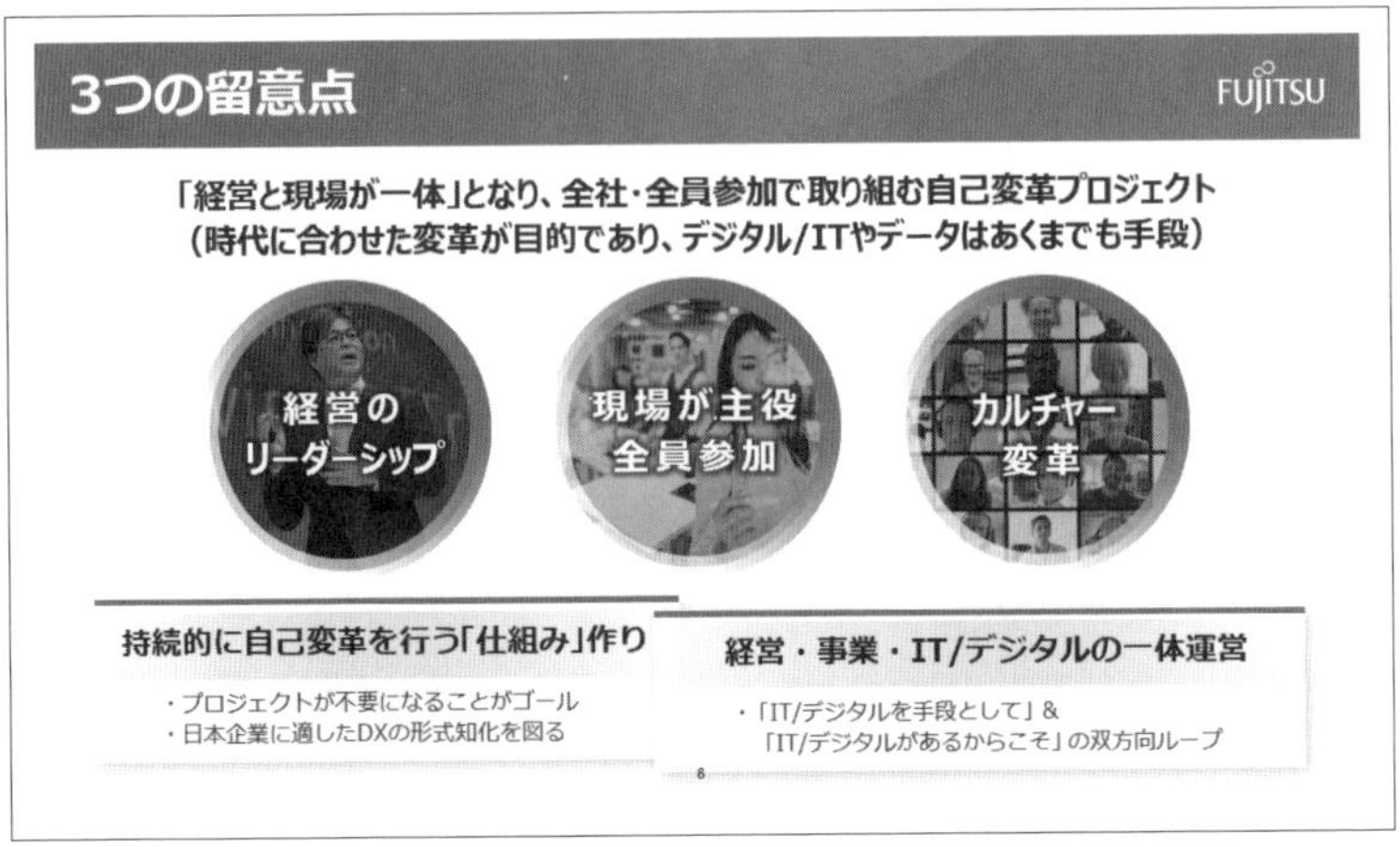

全社 DX プロジェクト「フジトラ」の基本方針

ビス、ビジネスモデルを変革するとともに、業務そのものや、組織、プロセス、企業文化・風土を変革し、競争上の優位性を確立すること」と定義されています。

やや難解な表現ですが、分かりやすく言い換えれば「激しい環境変化の中で勝ち抜いていけるよう、先進のデジタル技術を積極的に活用して、会社そのものをトランスフォーム（変革）する」ということです。

ここで注目したいのが、変革すべき対象として製品やサービス、ビジネスモデルだけでなく、組織、プロセス、企業文化・風土も挙げられていること。「大企業病」という言葉に象徴される組織の課題を解決することも、DXの重要な要素というわけです。

時田社長は、DX企業への転換を図るため、まずは富士通自身が、組織やカルチャーも含めたDXを実践すべしと、自らCDXO（最高デジタル変革責任者）に就任します。

「私自身がCDXOとして、富士通グループの先頭に立って社内改革を行っていく。富士通が多様性に富むプロフェッショナル集団となり、クリエイティブなアイデアを生み出し、それを顧客に提供できる企業へと変わる。当社自身がDXに率先して取り組み、そこで得られた知見や経験値を顧客に提供する」と宣言しました。

こうして、時田社長のもと、富士通は自身をDX企業へと変革させるための取り組みを開始。2020年7月には全社DXプロジェクト「フジトラ（Fujitsu Transformation）」が立ち上がります。そこで重要な役割を担うことになったのが、後に「やわデザ」コミュニティを生み出す「デザインセンター」でした。

デザイン思考とデザインセンター

富士通がDX企業への変革を推し進めるためのカギと考えたのが「デザイン思考」です。デザイン思考といえば、昨今、メディアなどで取り上げられる機会も増えており、みなさんも見たり、聞いたりする機会が増えたと思います。

デザイン思考の「デザイン」という言葉から芸術やアート、見栄えの問題といった誤解も生

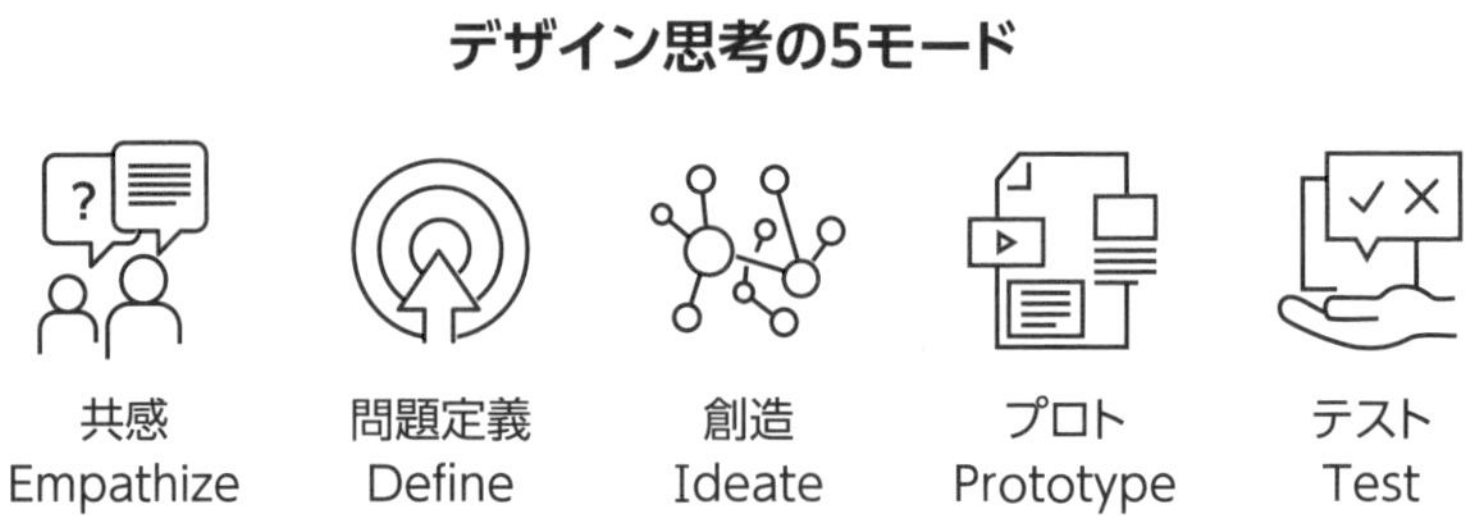

富士通が考えるデザイン思考のプロセス

まれているようですが、富士通では、このデザイン思考を「人を中心とした視点で問題解決をするためのアプローチ」と定義。「まだ言語化されていないニーズをつかみ、アイデアを自分たちで創出し、プロトタイピングとブラッシュアップを繰り返しながら完成させていく思考法」と説明しています。

まずは対象となる人々をしっかり観察し、その気持ちに共感することで潜在的なニーズを発見したり、想像したりします。ニーズに応える具体的なアイデアを創出し、プロトタイプという形にしてテストを繰り返すことで、企業や社会が抱える課題を解決へと導きます。

先行き不透明なVUCAの時代を迎え、ユーザーのニーズや課題が複雑化し、把握しにくくなる中、デザイン思考を活用することで、真のニーズに沿った製品開発が可能になるのはもちろん、組織内の議論の活性化や組織力の強化も期待できます。

こうした認識のもと、富士通はデザイン思考を「未来の予測が難しい時代において、真の課題を見つけ出し、正解のない問いを解決に導くために必要なマインド・ナレッジ・スキル・ツールセット」と位置づけています。そして「企業価値向上のための重要な経営資源」としてグループ全社員への浸透を図るとともに、企業活動のあらゆる面でデザイン思考を活用する「デザイン経営」を推進しています。

この取り組みを牽引すべく、富士通本体内のデザイン部門として2020年7月に発足したのが「デザインセンター（通称　富士通デザインセンター）」です。

その母体となった富士通デザイン株式会社は、もともと富士通グループのプロダクトデザインやUI（ユーザーインターフェース）デザインなどを担っていましたが、次第にサービスデザインやビジョンデザイン、組織デザインなどにも携わるようになっていきました。

いわば「狭義のデザイン」から「広義のデザイン」へと役割をシフトさせていったわけですが、これに並行して、約15年前からデザイン思考の研究や実践に取り組み、自らの業務で活用するのはもちろん、階層別の研修プログラムなどを通じて富士通グループ各社への啓発も行ってきました。

同社が富士通本体に吸収合併されたことで、「事業活動のデザイナー」としての役割を担うこととなり、グループ13万人にデザイン思考を浸透させる牽引役となることが期待されたのです。

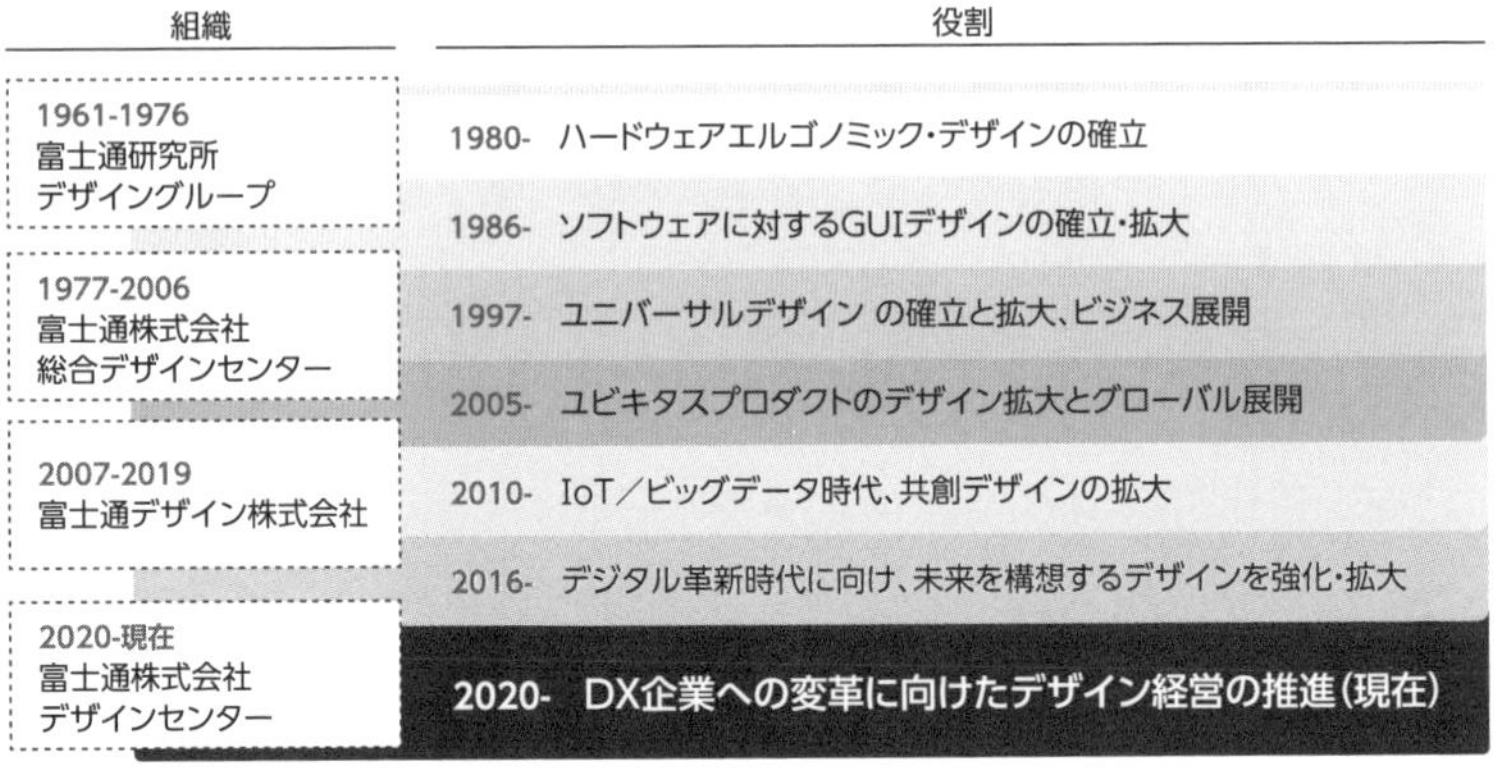

組織	役割
1961-1976 富士通研究所 デザイングループ	1980- ハードウェアエルゴノミック・デザインの確立
	1986- ソフトウェアに対するGUIデザインの確立・拡大
1977-2006 富士通株式会社 総合デザインセンター	1997- ユニバーサルデザイン の確立と拡大、ビジネス展開
	2005- ユビキタスプロダクトのデザイン拡大とグローバル展開
2007-2019 富士通デザイン株式会社	2010- IoT／ビッグデータ時代、共創デザインの拡大
	2016- デジタル革新時代に向け、未来を構想するデザインを強化・拡大
2020-現在 富士通株式会社 デザインセンター	**2020- DX企業への変革に向けたデザイン経営の推進（現在）**

富士通デザインからデザインセンターに至る歴史

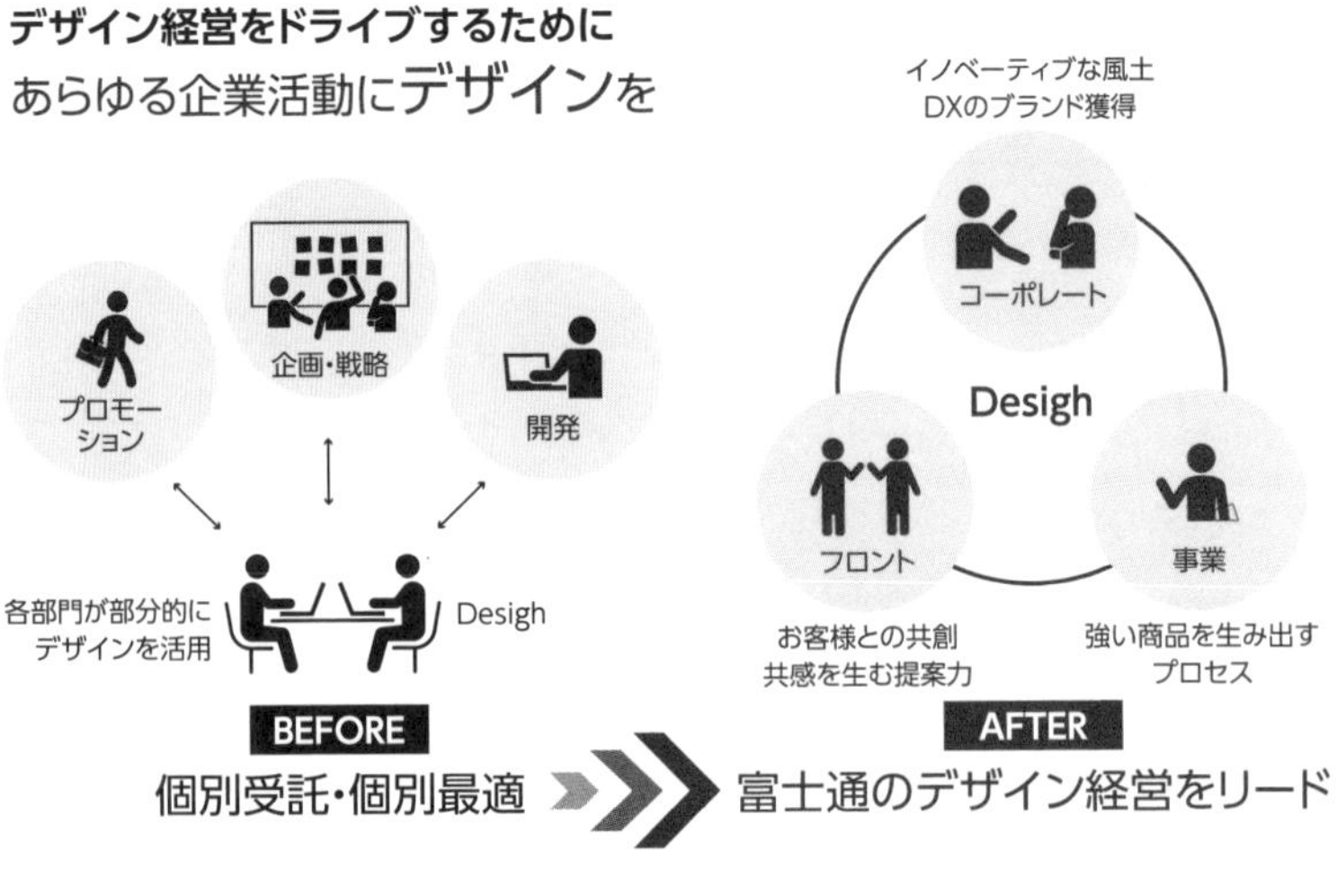

富士通が目指すデザイン経営のコンセプト図

コロナ禍で危機に瀕した組織コミュニティ

デザインセンターのデザイナーが組織横断型オンライン・コミュニティ「やわデザ」を立ち上げた背景には、ＤＸ企業への変革という内部要因に加えて、ほぼ同時に生じた外部要因がありました。２０２０年初頭から、我が国はもちろん、世界中に大きな衝撃を与えた新型コロナウイルス感染症の拡大です。

富士通は、コロナ禍以前から「働き方改革」の一環としてテレワーク制度を整備してきました。テレワークは、場所や時間にとらわれない自由な働き方を可能にして、社員の価値創造力やモチベーションを高めるだけでなく、移動に要する時間を削減したり、離れたオフィスに所属する社員同士の連携を可能にしたりと、多くのメリットが期待できます。とはいえ、出社を

「Work Life Shift」のコンセプト

富士通にもたらした変化

Work Life ShiftによりリアルとバーチャルやWorkとLifeの相乗効果による新たな価値を創出し、
一人ひとりのウェルビーイングを実現することで、
エンゲージメントの向上や会社のビジネスやパーパスの実現につなげます。

テレワーク継続率平均	通勤時間の減少 一人あたり平均	単身赴任の解消など遠隔勤務の活用	社外サテライトオフィスの利用
80%	30時間／月	約1,700名	約9,000名／月

（2022年1月28日時点）

「Work Life Shift」が富士通にもたらした変化

前提とした働き方が一般的な日本企業には馴染まないという認識が一般的で、富士通でも一部の部門によるトライアルにとどまっていました。

　ところが、緊急事態宣言の発令を受けて自宅待機や在宅勤務が求められたことで、富士通は原則として全社的にテレワーク化。2020年7月には、こうした未曽有の事態を改革の好機として活かすべく、ニューノーマル時代における新たな働き方として「Work Life Shift」のコンセプトを打ち出しました。これは、社員一人ひとりの高い自律性と相互の信頼関係をベースに、社員が働く場所を、それぞれの業務目的に合わせた形で自由に選択できるようにするものです。

　実際、「Work Life Shift」の導入によって、富士通社員の働き方は大きく変化しましたが、その一方で懸念もありました。オフィスで社員同士が日々、顔を合わせてコミュニケーションを重ねることで培われる

「組織単位のコミュニティ」が衰退し、社員同士の連帯感が損なわれ、連携にも支障が出るのではないか、また、ちょっとした雑談などをきっかけに生まれる幸福な偶然「セレンディピティ」が失われるのではないか、ということです。

すでに一定の人間関係や信頼関係が構築されている社員同士やチームであれば、テレワーク環境下でもオンラインでコミュニケーションを取り、従来と変わらぬ連携やコラボレーションが容易でしょうが、新入社員や異動者など、新たに加わった社員にとっては、オンラインのみでの関係構築は容易ではありません。

人材の流動化が進む昨今の情勢もあり、テレワーク環境下でいかに社員間の関係を構築し、維持するかが喫緊の課題となっていたのです。

大規模ライブ配信でのはじめの一歩

ＤＸ企業に転換するためのデザイン思考の浸透と、コロナ禍でのテレワーク環境下における組織コミュニティの構築・維持。これら両面からの課題に取り組むための方策として浮上したのが「デザイン思考を広げるためのオンライン・コミュニティづくり」でした。（いよいよここからが本題です！）

デザインセンターは、テレワークの普及が、この方策を実践するためのチャンスだと考えました。グループの全社員がテレワーク可能なオンライン環境を整備することで、これまで会場に来る機会に恵まれなかった社員たちが、会場の場所や収容人数なども気にすることなく集まることができるためです。

この利点を活かしてオンライン・コミュニティをつくる機会を探していたところ、社内イベント「TechLive（テックライブ）」とのコラボレーションが実現。「デザイン思考」をテーマとした大規模ライブ配信イベントを開催することになったのです。

イベントのタイトルは、「やわらかデザイン脳をつくるマインドマップ～はじめの一歩～」。その名のとおり、コミュニティづくりの第一歩となりました。

マインドマップとは、頭の中で考えていることを描き出すことで記憶の整理や発想をしやすくする手法で、それまでも多くのデザイナーがそれぞれの業務に活用したり、希望する組織向けに講座を提供したりするなどの実績がありました。今回のイベントでは、ライブ配信を「入門編」、それに続くワークショップを「実践編」と位置づけ、実際にマインドマップを描いてもらうことで、デザイン思考について理解を深めてもらうことを目的としました。

時田社長によるデザインセンター設立時のメッセージとタイミングを合わせてライブ配信イベントを告知したことで注目度が高まり、日頃はイベントへの反応が薄い部門からも多くの申し込みがありました。イベントを告知した当日で千名の定員に達するという予想外の事態に。

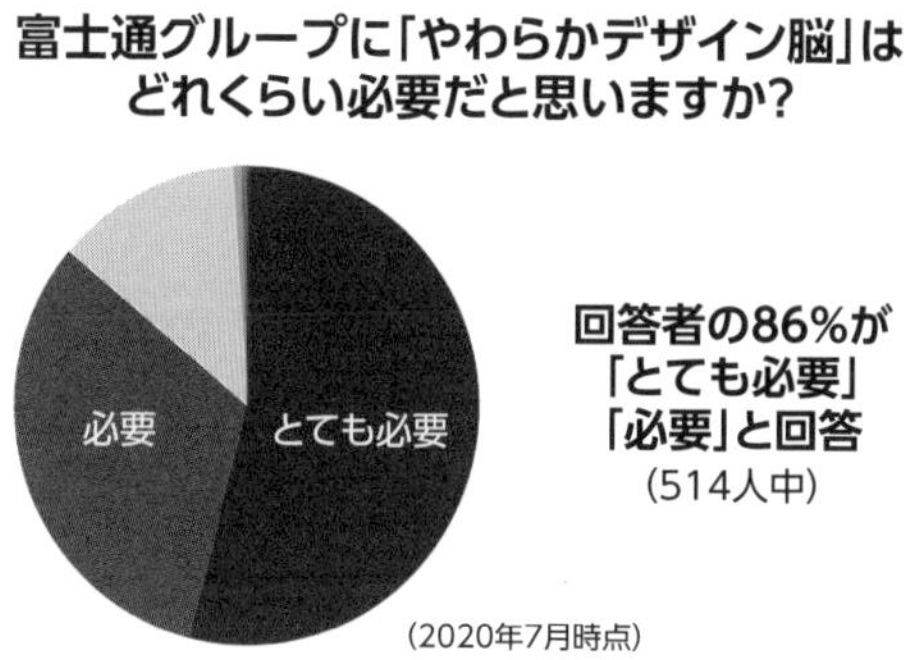

富士通社内で「やわらかデザイン脳」が強く求められていることが明らかに

その後、定員を増やし、千五百名を超える参加者を集め、TechLive史上最多記録を更新しました。

なぜこれほど多くの社員が参加したのか、その理由を探ろうとアンケートを実施したところ、興味深い結果が得られました。

「富士通グループに『やわらかデザイン脳』はどれくらい必要だと思いますか?」との質問に対し、回答者の86%が「とても必要」「必要」と回答。また、「職場のなかで『カチカチ脳』を感じる瞬間は?」という質問に対しては、「はじめに」で紹介したような、まさに大企業病を思わせる声があふれたのです。

このイベントを通じて、「今の富士通は『カチカチ脳』が多い『カチカチ企業』になってしまっている」「多くの社員は『カチカチ脳』や『カチカチ企業』ではなく、『やわらかデザイン脳』や『やわらか企業』になる必要性を感じている」ことが明らかになりました。

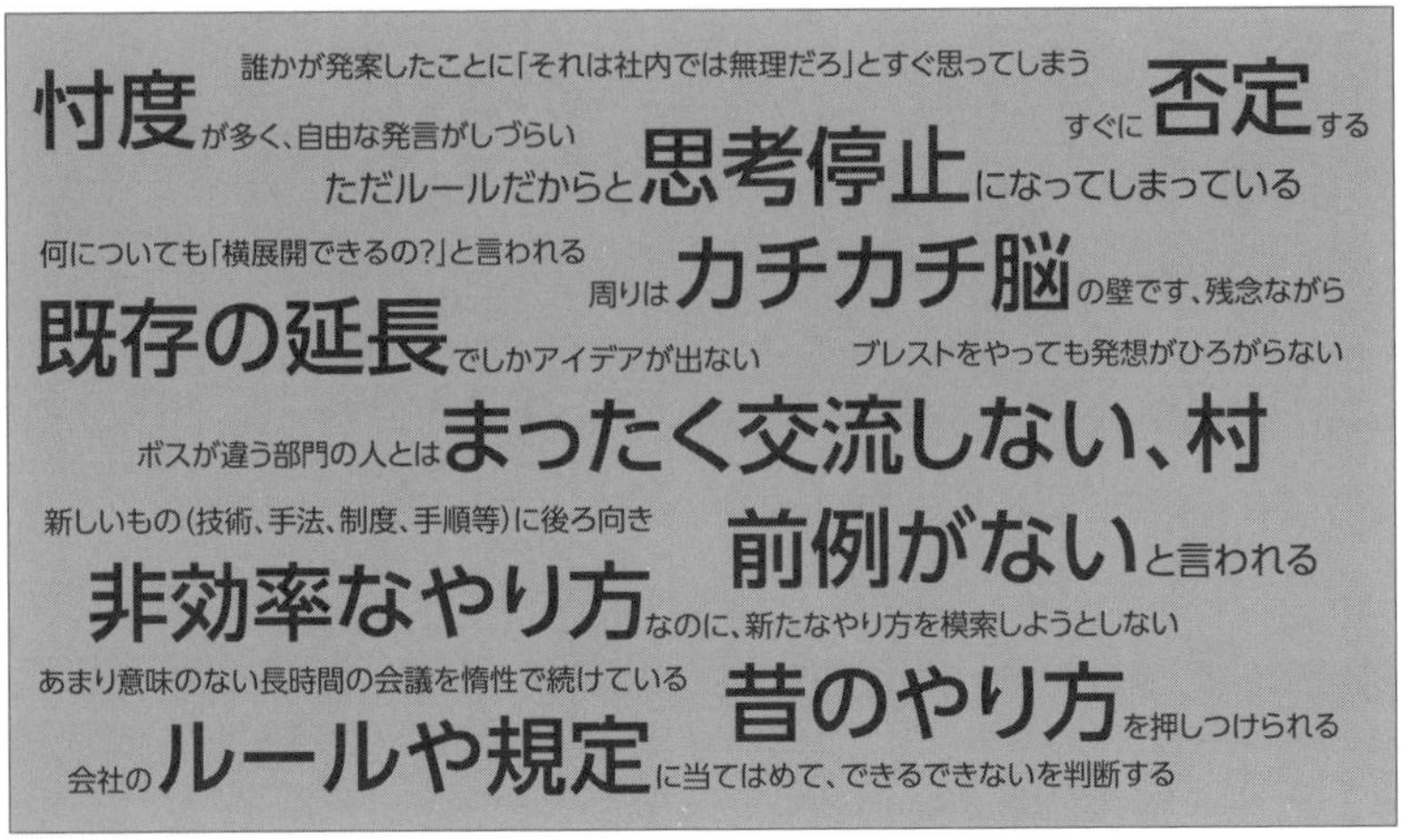

「職場の中で『カチカチ脳』を感じる瞬間は？」との質問に寄せられた声

組織横断型オンライン・コミュニティ「やわデザ」のカバー画像

こうした反響の大きさをきっかけにして、社内ＳＮＳのYammer上に誕生したのが、組織横断型オンライン・コミュニティ「やわらかデザイン脳になろう！（やわデザ）」です。

富士通内の社内ＳＮＳを活用

オンライン・コミュニティ「やわデザ」のプラットフォームとなったYammerとは、マイクロソフト社が提供する企業向けのＳＮＳです。組織全体でのオープンかつ動的なコミュニケーションを可能にし、組織への帰属意識や一体感を高めるツールとして活用されています。WordやExcelと同様に「Microsoft 365」に含まれていて、世界中の多くの企業が導入しています。

富士通でも２０１８年からYammerをグループ全体で導入していましたが、当初はまだ社内ＳＮＳに対する意識やリテラシーが低かったこともあり、情報を周知するための「オンライン掲示板」的な使い方にとどまっていました。

このYammerを社内に浸透させる大きな推進力となったのが、かつてはＳＡＰジャパンで社長を務め、２０２０年４月からＣＩＯ（最高情報責任者）兼ＣＤＸＯ（最高デジタル変革責任者）補佐として富士通に加わった福田譲（ふくだ・ゆずる）氏の存在でした（現在はＣＤＸＯ兼ＣＩＯ）。

Yammerによる社内SNSを、カルチャー変革の重要なツールと考えた福田氏は、積極的に投稿することで、Yammer上での社員のコミュニケーションの広がりを加速させました。また、TechLiveでのアンケートから「やわらかデザイン脳」への関心の高さもわかり、それらが相まって、短期間でYammerのオンライン・コミュニティ「やわデザ」に多くの参加者を集めることができました。

目標はオープンで自発的なコラボレーションの創出

「やわデザ」を立ち上げた富士通デザインセンターのデザイナーたちは、デザイン思考の浸透と社内カルチャー変革の両面で、組織横断型オンライン・コミュニティに大きな可能性を見出していました。

それは、専門や価値観の異なる多様な社員が集まり、対話や交流を重ねることで、新たな気づきや発見が得られ、ポジティブな刺激を日常的に感じられる「学習と実践のコミュニティ」というものでした。このコミュニティ内でつながる社員が増え、一緒に挑戦する仲間の存在が感じられれば、そこから自発的なコラボレーションが生まれ、その過程でデザイン思考が広がっていくだろうと考えたのです。

そうしたコミュニティを実現するためには二つの要件を満たす必要があります。一つは、グ

「やわデザ」コミュニティの参加者から寄せられた声

ループ各社の多様な組織から、多くの社員に参加してもらうこと。もう一つは、コミュニティの参加者同士が共感し、信頼できる関係を築くことでした。

グループ内に広がりつつあったYammerを活用したことや、TechLiveとの連動。そして誰もが興味を持ちやすい「やわらかデザイン脳」というテーマ設定により、一つ目の条件はある程度クリアできました。

もう一つの条件を満たすために重視したのが「対話型イベント」でした。まずは「やわデザ」コミュニティのありたい姿を参加メンバーで考えることからスタート。さらに、やりたいこと、議論したいことがあるメンバーの意見をもとに、ワークショップやセッション、企画会議など、様々な対話型イベントを実施しました。

こうしたイベントを重ねることでメンバー間につながりや信頼関係が生まれ、コミュニティが活性化。その評判がまた新しい参加者を呼ぶという好循環が生まれ、「やわデザ」コミュニティは成長していったのです。

「やわデザ」の成長は過去の活動の積み重ね

ここで誤解してほしくないのは、「やわデザ」の成果は、決して「付け焼き刃の対策がたまたま功を奏した」ものではないということです。

TechLiveでの大規模イベント開催以前、さらには時田社長の就任以前から、組織の課題に対する危機意識は富士通グループ内で共有されており、それらの課題を解消しようと、各部門でそれぞれ独自の施策が推進、展開されていました。

なかでも「富士通みらい会議」は、デザインセンターの前身である富士通デザインが、知財部門との連携で定期開催していた部門横断的なイノベーション活動です。立ち上げメンバーも「やわデザ」と一部共通しており、まさに「やわデザ」の前身といえます。

また、オープンイノベーションを創出する「フューチャーセンター」として、富士通ラーニングメディアが「Co★Pit（コピット）」（２０１０年〜）、富士通デザインが「HAB-YU（ハブユー）platform」（２０１４年〜）、さらには富士通本体が「Knowledge Integration

Base PLY（プライ）」（2016年〜）を開設するなど、共創・対話の場がいくつも誕生しました。

これらの中には、成果を上げ、今も活動を続けているものもあり、富士通グループ内にオープンなイノベーションを促す下地を育んできたことは間違いありません。

とはいえ、総じて言えば、富士通グループ全体のカルチャーを変革させるまでには至りませんでした。その原因としては、次の要素が挙げられます。

・活動が全社に周知・浸透せず、場所も固定されているため、参加者が一部の社員のみにとどまっている
・取り組みを支えるツールが浸透していない、使いにくい
・取り組みの成果が出るまでに時間がかかる上に、具体的な成果が見えにくい
・経営層や上司からの評価につながりにくいため、モチベーションを維持できない
・部門のトップが代わると活動が中断されやすい

「やわデザ」の立ち上げメンバーは、こうした過去の取り組みでの経験や反省をもとに、より多くの参加者が集まりやすい、継続性のある取り組みになるよう、様々な工夫を凝らしました。

その詳細については第7章で詳述しますが、「やわデザ」の成長は、富士通グループの取り

組みが育んできた下地があったからこそ実現できたのです。

規模の拡大とともに参加者のニーズが変化

話を「やわデザ」コミュニティに戻しましょう。

好調なスタートを切った「やわデザ」でしたが、参加者が七百名を超えた頃から伸び率が低下し、千名を超える頃には Yammer の投稿数も減少傾向を見せ始めました。

その理由としては、規模の拡大に伴い、コミュニティが誰が見ているかわからない場所になったことが考えられました。実際、Yammer の推進担当者による調査では「周囲から遊んでいると思われそう」「投稿したコメントに否定的な意見が寄せられた」といった声も上がっており、積極的な活用を避けている社員が少なくない状況が見て取れました。

そこで、コロナ禍以前のオフィスで社員同士が気軽に挨拶したり、雑談できたりしたように、「やわデザ」でつながったメンバー同士が日常的に会話できる場をつくれないか、との発想から、Teams のチャットグループ機能を用いた「やわらかチャット」を実験的に提供しました。

Teams は Yammer と同様にマイクロソフトが提供するコミュニケーションツール。そのチャット機能は Yammer に比べてシンプルで、上限人数が二百五十名という規模感や、リアルタイムに反応がもらえる即時性が魅力となって、「気軽につぶやける空間」として多くの参加者を集めました。いまや四つのチャットグループに七百名以上が参加する規模にまで成長。「日常的な挨拶や雑談、相談はチャットで」「イベント告知や運営会議、メンバー全体に問いかけるような投稿はYammerで」と、ツールの特性を活かした使い分けが可能になったことで、どちらも参加者が拡大を続け、「やわデザ」は再び成長軌道を描き始めたのです。

三千名超のコミュニティへ成長

開設から約１年で二千名を突破し、２年後には三千名を突破するなど、規模を広げながら活性化を続ける「やわデザ」は、参加者、さらにはその周囲にいる社員たちに、どのような変化をもたらしたでしょうか？

参加者に対するアンケートから浮かび上がった

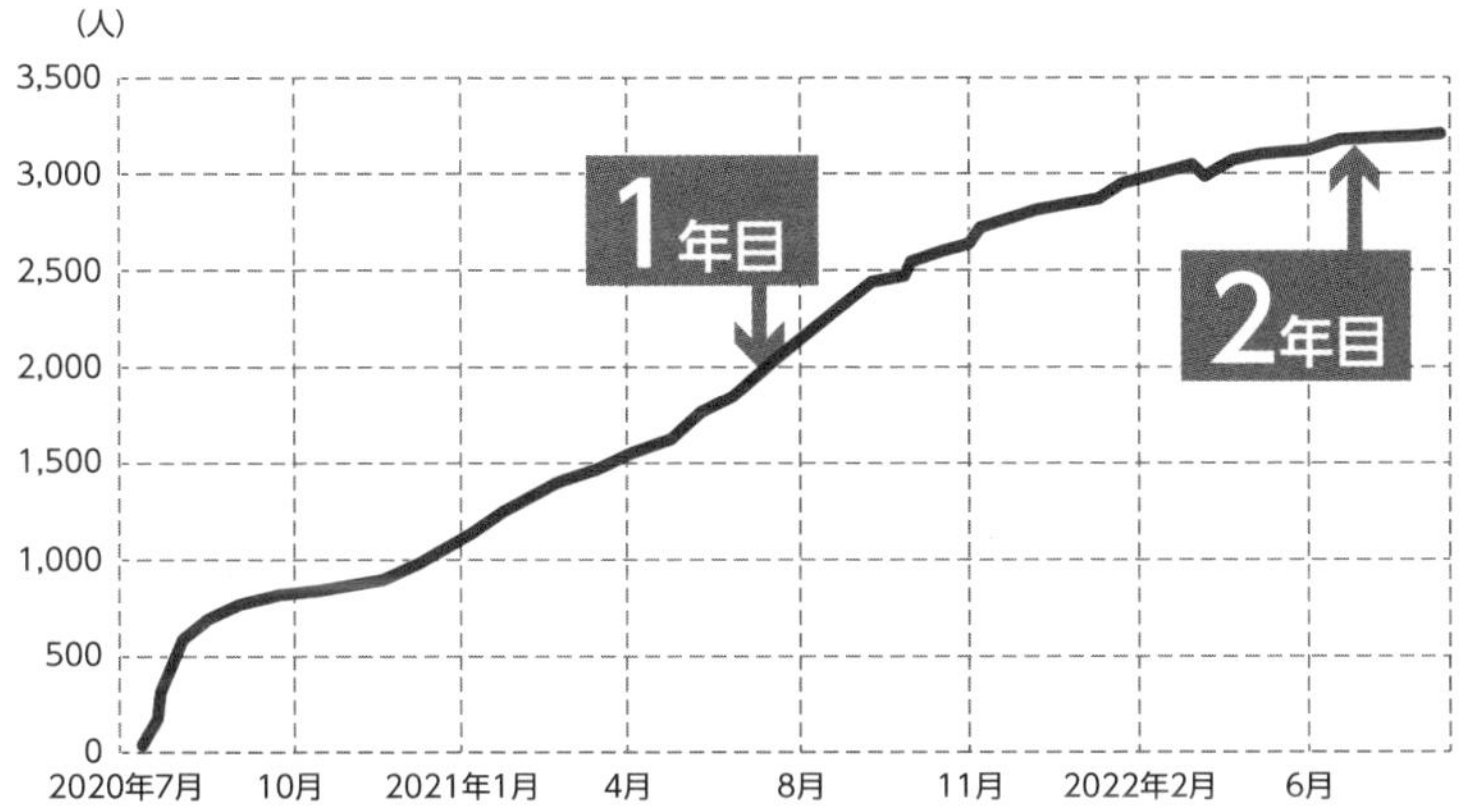

設立から１年で 2,000 名、２年で 3,000 名を超える参加者が集まる

のは、「社内ネットワークが広がった」「異なる部署のメンバーとの対話で視野が広がった」「問題解決が早くなった」「富士通グループに対する安心感が生まれた」といったポジティブな変化の数々でした。

参加者一人ひとりのマインドや行動が変わったことで、組織も変わろうとしています。

「富士通はかたくてつまらない会社」という認識を、「富士通はやわらかくておもしろい会社」へと変えていこう。そんな思いを「やわデザ」の運営スタッフ、そして三千名超の参加者、さらには富士通グループの社員一人ひとりが共有することで、これから富士通はＤＸ企業への転換はもちろん、より魅力ある企業として成長していけるはずです。

「やわデザ」コミュニティ参加メンバー

3,311名

（2023年3月16日時点）

一般社員	役員・幹部社員
78.5%	21.5%

富士通本体（1,094組織／198事業所）	グループ会社（60社）、出向中
65%	35%

参加メンバーの多様さを物語る属性データ

第2章

デザイナー・マササんに聞く、「やわデザ」の軌跡

第1章では「やわデザ」コミュニティが誕生した経緯を紹介しましたが、みなさんに全体像をつかんでもらうため、やや駆け足になったことは否めません。そこで本章では、コミュニティの運営側が何を課題に、何を考え、どう取り組んできたか、インタビュー形式で掘り下げていきます。

話を伺うのは「やわデザ」立ち上げメンバー、マサさんこと、富士通デザインセンターの加藤正義（かとう・まさよし）氏。試行錯誤を通じて得られた学びを語っていただく中で、組織に対する課題意識や、コミュニティに込めた想いが伝わってきました。

デザイナーの意外な素顔

――コミュニティの雰囲気を共有してもらえるよう、インタビューでも「マサさん」で通したいと思いますが、よろしいでしょうか?

マサさん　大丈夫です。そのほうが私も気楽に話せますから（笑）。

――「やわデザ」のような大規模な社内コミュニティを立ち上げたのはどんな人なのか、みなさんとても興味があると思います。まずは簡単に自己紹介をお願いできますか?

マサさん　デザインセンターの所属なので、職種でいうと「デザイナー」ですが、実は理系出身です。仕事内容としては、2011年頃から、部門や組織、あるいは企業の壁を越えて集まった多様な人々が、創造的に対話をするための「場づくり」のサポートを行ってきました。

――理系出身とは意外でした。場づくりというとワークショップを思い浮かべますが、もともと興味があったのでしょうか？

マサさん　大学時代に、ホテルで結婚式やパーティーの準備から接客まで行うアルバイトを約４年間やっていました。バイト仲間との飲み会やイベントの幹事役もよくやっていたので、その頃から場づくりには興味があったのかもしれません。そういえば、私の結婚式も自分で企画してパーティー風にしました。当時はまだワークショップという言葉を知りません

でしたが、振り返ってみるとワークショップ的な要素が散りばめられていましたね。人を楽しませたり、人が楽しそうに笑っている姿を見たりするのが好きです。

——ファシリテーションに必要なスキルは、そうした経験から磨かれていったのでしょうか？

マサさん　「イベントの企画力」や「場全体を俯瞰して見る力」は、確かにそうかもしれません。それと、私は小さい頃から絵を描くことが好きなので、そこから観察力が鍛えられたのかもしれません。「場」で起こっている些細な変化や違和感にも敏感です。

——子ども時代からの経験が、仕事に活かされているわけですね。

マサさん　そう思います。ワークショップなどのイベントでファシリテーターを務めることも多いですが、人前に立つのは正直、苦手で毎回緊張します（笑）。特に、大勢の前で一方通行的に話すのは好きじゃありません。その点、ワークショップの場合は、最初に場をやわらかくできますし、話をするのは参加者自身なので、やりやすいですね。

——人前に立って話すのが苦手というのは意外ですね。逆に、ご自身のどんなところがファシリテーター向きだと思われますか？

マサさん　好奇心が強く、多様性に寛容なところでしょうか。新しい手法やツール、考え方も、「これは良い」と思ったものはどんどん取り入れます。自分と違う分野、自分と異なる価値観を持つ人との関わりを楽しめるほうだと思います。あとはバランス感覚でしょうか。

ゼネラリストタイプですね。

――好奇心の強さは、どこから来ているとお考えですか？

マサさん　よくわかりませんが、子ども時代を振り返ると、学校の成績や評価が悪くても親から「勉強しなさい」と言われた記憶がなく、自由な家庭環境でした。一方で、欲しいものを何でも買ってくれるような裕福な家ではなかったので、自然と少ない遊び道具で工夫するようになりました。そのためか、どんな仕事も、もっと良くできないか、早くできないかと試行錯誤する意識は強いですね。その反面、同じことの繰り返しや、単純作業はあまり好きじゃありません。イベントを企画するのは今でも楽しいですが、参加者のスケジュール調整はモチベーションが上がりません（笑）。

ファシリテーターとして大切なこと

――マサさんご自身に限らず、場づくりをするファシリテーターとして大切なことは何でしょうか？

マサさん　自分自身の「あり方」ですね。ファシリテーションの知識やスキルよりも、自分自身がなぜその場にいるのかという「Why」が最も大切だと思います。このことをある講座で学んだとき、それまで知識やスキルばかりを追い求めて勉強していた自分を反省するともに、少し気が楽になりました。

――ファシリテーターとしてのあり方が、場づくりにどう影響するのでしょうか？

マサさん　ワークショップの参加者も同じ人間なので、ファシリテーターのちょっとした表情や言葉づかい、態度に敏感です。いくら隠しても伝わってしまいます。また、強い想いを抱いている人の言葉には力があります。少しくらい言葉がたどたどしくても、多くの人が耳を傾けるでしょうし、その言葉に影響を受けるはず。安易にプロに頼まず、課題の当事者が想いを込めてつくる場のほうが、その想いが参加者にも伝わり、結果的に物事が前に進むこともあるのではないでしょうか。ファシリテーターがいなくても、参加者が主体的に創造性と協働性を発揮できる場が理想だと思います。

――マサさん自身のワークショップにおけるあり方について教えてもらえますか？

マサさん　私が意識しているのは、ワークショップに参加した人が本来、持っている創造力を開放し、誰もがクリエイティブな活動を「楽しい」「おもしろい」と思えるような場をつくること。同時に、これまでつながることのなかった人たちが出会うきっかけを提供していきたいと考えています。

――ベースとなるあり方を備えた上で、さらに必要なスキル、資質を磨いていくとすれば、どのようなことが必要でしょうか？

マサさん　本書にも登場するデザイン思考はこれからの時代のビジネスパーソンには必須となるでしょう。デザインという言葉がついているので、多くの人が興味を持ちにくいかもしれませんが、簡単に言うと「大人の良いところ」と「子どもの良いところ」を上手に使いこなして、創造的に問題を解決するアプローチだと私は理解しています。

――確かにそうですね。何か有効な方法があればご紹介ください。

マサさん　私は「マインドマップ」をお勧めしています。多くの方はマインドマップの使い方を誤解しているようですが、頭に浮かんだことを素早く紙にアウトプットするもので、デザイン思考的な頭の使

マサさんが本書のタイトルを検討する際に作成したマインドマップ

い方を日常的に訓練するにはうってつけの手法だと思っています。私自身、マインドマップを日常的に使うようになって、頭がやわらかくなり、発想力が高まったと感じています。

――自分の思考を可視化することが、考える力を鍛えることにつながるわけですね。

マサさん デザイン思考の講座やワークショップをやっていると、参加者から「発散が上手にできない」という声をたくさんいただきます。これは普段の仕事ではあまり求められていない思考モードなので当然です。まずは「収束思考（分析的な思考）」に偏っていることを自覚することがスタート地点になります。何か新しいものを生み出すときには、従来とは異なる思考モードを使いこなす必要があります。それが「発散思考（制約のない自由な思考）」です。「発散」と「収束」を行ったり来たりしながら、自分な

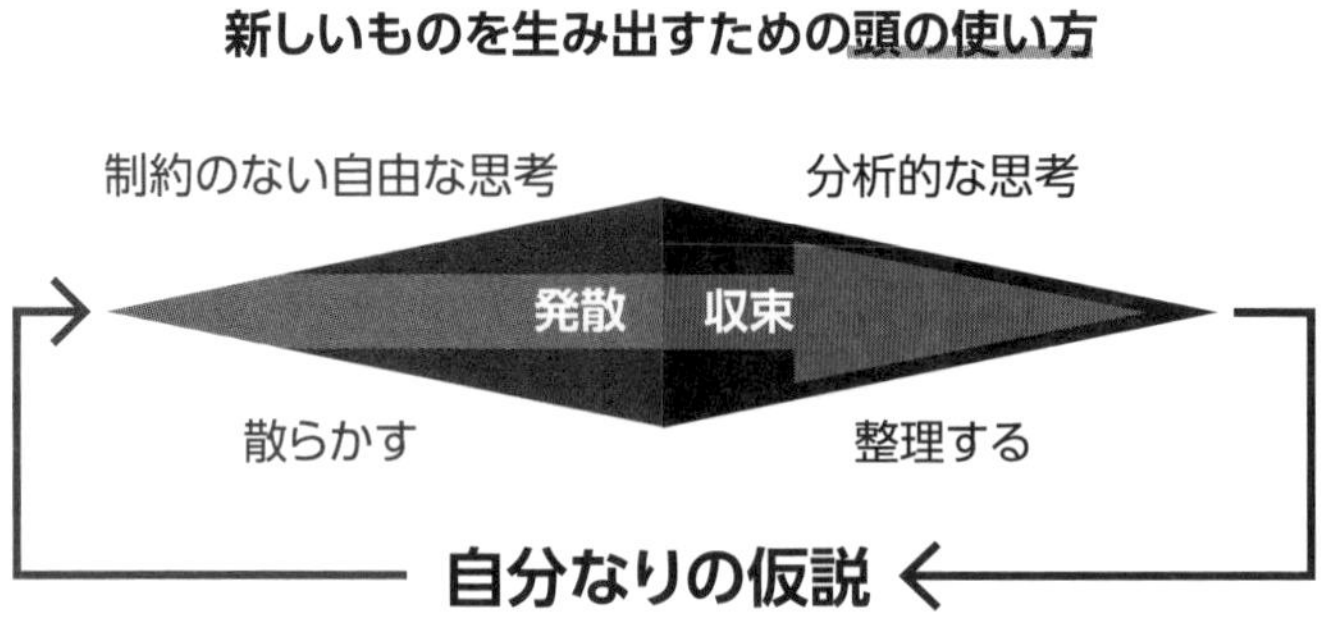

マインドマップを使った「発散」と「収束」による仮説づくり

りの仮説を立てるにはマインドマップがとても有効です。

――なるほど。自由な発散と、分析的な収束を繰り返すという頭の使い方をマインドマップで身につけるわけですね。

マサさん　ビジネスパーソン向けには、頭の中の言葉やキーワードをどんどんアウトプットするミニマインドマップの手法がお勧めです。アウトプット=考えることなので、これを日常的に繰り返すことで、自然と考えて行動する癖がつき、結果として仕事も楽しくなるでしょう。もちろん、アウトプットするにはインプットも大切なので、私も本を読んだり、いろんな場所に出かけたり、いろんな人と話をしたり、日常的に情報収集するよう心掛けています。

デザイン部門への異動とデザイン思考との出会い

――富士通に入社した当初は開発部門に配属されたそうですが、そこからデザイン部門に移られたのは、どんな経緯からでしたか?

マサさん　もともと独学で自分のホームページを作ったり、チームの情報共有に社内のネットワークで利用したりしていました。会社もインターネットに力を入れるようになったことで、「社内公募制度」を利用してコーポレート部門に異動し、教育関係のホームページの企画と運営に携わりました。その後、かねてより希望していたデザイン部門に拾ってもらったような感じです（笑）。

――当時はまだグループ会社だった富士通デザイン株式会社ですね。

マサさん　デザイン部門への異動は2002年、富士通デザインの設立は2007年なので、それよりも前、「総合デザインセンター」と呼ばれていた時代で、パソコンや携帯電話、各種ソリューションなど、各事業部からのデザイン相談を一手に引き受けていました。2000年頃には、製品の外観だけでなく、価値や体験などのデザインも重視され、企画段階からデザイナーが参画していました。

――いわゆる「狭義のデザイン」から、目に見

Transformation by Design
デジタルトランスフォーメーションに挑戦する
デザイン戦略とサービスプランニング

デザイン思考に関する実践知をまとめたテキストブックを 2021 年に公開

えないものも含めた「広義のデザイン」へと移り変わっていったのですね。デザイン思考との出会いもこの頃でしょうか？

マサさん　2008年頃、感度の高い専門家が日本に「デザイン思考」を紹介し始めた頃で、当時、同じチームだったメンバーが、慶応大学の先生が企画したデザイン思考体験プログラムに参加し、その後チーム全員で体験してみました。

――そこから富士通のデザイン思考に対する取り組みが始まったわけですね。

マサさん　富士通デザインでも、デザイン思考を取り入れたサービスをお客様に提案するとともに、研究活動として地域や学校と一緒にプロジェクトを立ち上げるデザイナーが徐々に増え、実践知が少しずつ蓄積されていきました。

――マサさん個人としては、デザイン思考にどんな印象をお持ちでしたか？

マサさん　最初に体験した印象では、正直なところピンとこなかったですね（笑）。「デザイナーにとっては当たり前のことじゃないか」という印象でした。その後、デザイン思考を体系的に学ぶ講座に参加する機会をいただき、デザイン思考が必要とされる背景も含めて、理論と実践を学んだことで、すごく納得しました。

――デザイン思考にどのような意義を感じられたのでしょうか？

マサさん　変化の早い時代において、失敗によるリスクを最小化できることです。また、それまで属人的な要素が強かったイノベーションのプロセスを、デザイナーを含む多様なメンバーと一緒に進めていくための共通言語になると感じ、デザイン思考を全社に広げていくことに大きな意義を感じました。デザイン思考講座の講師役を担うようになったのも、そうした理由からです。

「やわデザ」の原点は富士通みらい会議

――マサさんが「やわデザ」のようなコミュニティづくりを意識し始めたのは、いつ頃からでしょうか?

マサさん　2011年に富士通デザイン社長直下の組織として「イノベーションデザイン部」が新設され、そのメンバーになったことがきっかけでしょうか。そこでは、新規事業を多様なステークホルダーとともに共創するというアプローチを、デザインサービスに取り入れるための研究および実践活動を行っていました。職種としては引き続きデザイナーと呼ばれていましたが、ある種のコンサルタントのような役割が求められていると感じていました。

――なるほど、イノベーションを専門とするコンサルタントのような位置づけですね。

マサさん　イノベーションデザイン部では、共創アプローチを実践するための実験的な施設も自分たちでつくろうと考えていて、当時知った「フューチャーセンター」をモデルにしようと、他社事例などを参考に調査を進めていました。

――フューチャーセンターというと、企業や政府、自治体などがオープンイノベーションを創出するために設ける施設のイメージですか？それをデザイン部門がつくろうと？

マサさん　もともとは欧州が発祥で、産官民の連携で社会課題の解決に取り組むためのものでしたが、多様なメンバーによる「集合知」をビジネスの課題解決にも活かそうと、２０００年代後半から国内でもフューチャーセンターを設置する企業が登場し始めていました。

――当時の取り組みで、振り返ってみて大きな転機となった出来事はありますか？

マサさん　２０１１年の夏に立ち上がった富士通みらい会議という活動が印象深いですね。これもイノベーション＆共創のためのプラットフォームという位置づけで、富士通デザインと富士通の知財部門が連携して立ち上げたものです。

――知財部門との連携というのは、どういう経緯だったのでしょうか？

マサさん　知財部門でも私たちが求めていたワークショップを主に社内向けに提供しており、何か一緒にできないかと打ち合わせする中で、「富士通は縦割りだよね」「各部署それぞれで似たような取り組みをしている」という話題が出て、同じような課題意識を持っていることに気づきました。そこから部門間に横串を通すような取り組みができないだろうかと意気投合。まずは小さくやってみようと始まったのが富士通みらい会議でした。

——なるほど、デザイン部門も知財部門も、事業そのものを直接担わず、富士通グループ内の様々な組織をサポートする立場なので、グループ全体を俯瞰して見ることができたわけですね。富士通みらい会議では、具体的にはどのような取り組みを行っていましたか？

マサさん　簡単に言えば、社内の集合知をビジネスに活かす「アイデアソン」のようなものです。この取り組みを通じて創造的な対話の場の価値や可能性を、富士通グループ内に広めたいと思っていました。

——アイデアソンというとアイデアのマラソンのようなもので、テーマを決めてグループでアイデアを出し合うイベントですね。

マサさん　社内に立ち上げた富士通みらい会議のウェブサイトの冒頭には「ワクワクする未来は、きっと笑顔あふれる場から生まれる。私たちと一緒に、ワクワクする未来を描きませんか？」というメッセージを掲載しました。当時はまだワークショップという言葉も一般的ではなかったので、私たちが実践するワークショップに参加した社員が、その手法を職場に持ち帰って実践してほしいという想いを込めて、非日常感のある言葉ではなく「会議」という言葉をあえて使っていました。

——そこは今の「やわデザ」と似ていますね。

マサさん　私自身がこうあってほしいと願う「場」や「カルチャー」を富士通内に広めたいと思っているので、富士通みらい会議も「やわデザ」も、やり方は違いますが根っこのところは同じだと思っています。

――富士通みらい会議は現在も続いているのでしょうか？

マサさん　残念ながら私自身は約3年で運営を離れていました。２０１９年には知財部門の組織改革もあって活動を終了しましたが、富士通みらい会議は富士通グループ内におけるオープンイノベーションの先駆け的な存在であり、対話の文化を育んでくれたと評価する声もあります。ただ、新しいビジネスアイデアを考える場だけつくっても、その後につなげるのはまた別の難しさがあります。新しいビジネスを生み出すためには、個人や組織に対しても働きかける必要があると思い、新たな研究と実践をスタートしました。その実践知が今の「やわデザ」につながっています。

全社DXプロジェクト「フジトラ」とデザインセンター誕生

――２０２０年7月には、富士通デザインが富士通本体に吸収合併され、デザインセンターが発足したわけですが、マサさんをはじめとするデザイナーたちは、この変化をどのように受け止められましたか？

マサさん　その前年に時田新社長が就任され「IT企業からDX企業への転換」という方針が発表されていたので、「富士通が大きく変わろうとしている」という空気は感じていました。

——それまでにも組織変革やカルチャー変革に向けた取り組みがいくつもあったわけですが、それらとは違うという印象はありましたか？

マサさん　それまでの活動は、多くが期間限定だったり、特定の部門やメンバーのみの取り組みにとどまったりで、今の「フジトラ」のように全社を巻き込むような変革活動はなかったように思います。新しい組織文化を創造するというのは、作物を育てる土壌づくりのようなもの。これまでのように、

全社 DX プロジェクト「フジトラ」のステートメント

すぐに成果を求められる制度や仕組みの中では、肥沃な土地を継続的に維持するのは難しいと感じていました。

――じっくり腰を据えて土壌づくりから取り組まないと、なかなか成果は出せないということでしょうか？

マサさん　今のＤＸの本質はこの土壌づくり（カルチャー変革）だと考えています。肥沃な土地をつくったとしても、すぐに収穫できるわけではありませんし、土壌づくりを怠っていると、作物が育ちにくいやせ細った土地になってしまいます。その点、時田社長の言葉からは、かつてないほどの変革を行おうという意気込みが伝わってきて、期待感がありました。

――富士通本体のデザイン部門として、フジトラにも深く関わっていくわけですが、どのような意識で取り組んでいましたか？

マサさん　フジトラのステートメントには、私たちも課題意識を抱いていた「カルチャーの変革にフォーカス」とあり、「オープンなコラボレーション」「全員参加で」「未来をリ・デザイン」「ファーストペンギンとして」など、日頃から意識している言葉が盛り込まれていて、それまで富士通デザインで培ってきた知見やノウハウが発揮できると感じました。特に「オープンなコラボレーション」は、「やわデザ」が目指すものでもあります。

デザイン思考とやわらかデザイン脳

――富士通本体のデザイン部門として、全社にデザイン思考を広めていく役割が求められましたが、これについてはどう思われましたか?

マサさん　正直なところ、結構な難題だと思いました。それ以前から、各部門のリーダー層やマネジメント層に向けたデザイン思考講座の研修講師を務めていましたが、いくら受講者自身が良いと思っても、実際に各組織で実践したり、展開したりするには大きな壁があると感じていました。個人的にはデザインという言葉が入っているのが良くないのではと感じます。どうしても狭義のデザインをイメージしがちですし、「僕らがデザイナーのように絵を描いたりするの?」「新規事業に携わっていないから関係ない」といった誤解もあると耳にします。私は以前から、先述した「マインドマップ」をデザイン思考的な頭の使い方を身につける手軽な方法として、富士通内に広めていきたいと考えていました。

――「やわデザ」誕生のきっかけとなった2020年7月のTechLiveでも、マインドマップを用いられていましたね。そのタイトルに「デザイン思考」ではなく「やわらかデザイン脳」と付けたのは、どんな狙いがあったのでしょうか?

マサさん　デザイン思考を前面に出すと、先述のような誤解やわかりにくさが生まれてしまうので、もっと興味を引き付けるような伝え方が必要だと思ったのです。デザイナー以外の社員はデザイン思考を身につけたいと考えているわけではありません。しかし、自身の頭をやわらかくしたいという潜在的なニーズは多くの社員が持っているはずだと考え、「やわらかデザイン脳」というネーミングにたどりつきました。

――「やわらか」という表現は、コミュニティ名だけでなく「やわらかチャット」や「やわらかセッション」など、各種の取り組みに付けられていますね。

マサさん　「やわらか」というフレーズには、どことなくオープンな雰囲気があります。そのため、あとに続く専門的な言葉を民主化したり、境界をぼかしたりする効果があると考えています。デザインという言葉を親しみやすくして、みんなに開放したい、そんな想いを込めています。

多くのメンバーを集めた背景にあった不安と信頼

――2020年7月に誕生した「やわデザ」は、ほどなく千名を超えるメンバーを集めます。これは予想されたものでしたか？

マサさん　コミュニティを立ち上げる前、Yammer について調べてみたところ、コミュニティのメンバー数は百名にも満たないものがほとんどでした。二千名のメンバーを集めれば、Yammer 内でトップクラスのコミュニティになるわけですから、社内にインパクトを与えられると考え、まずはそこを目標にしました。TechLiveで千名以上の参加者を集められたことに加え、オンラインワークが当たり前になった今の富士通であれば、「きっと集められるはずだ」と思っていました。むしろこのチャンスを逃すと、これほどの人数を短期間で集めるコミュニティの実現は難しいと思っていました。

——現在では三千名を超えるコミュニティに成長した「やわデザ」でしたが、一時は停滞しかねない時期もあったとお伺いしました。

マサさん　メンバー数が千名を超えた頃から、Yammerへの個人的な投稿が減少して、イベントの告知的な投稿ばかりが目立つようになりました。その理由は、コミュニティのメンバーが増えたことで、誰が見ているかわからない状況が生まれるとともに、オンラインイベントが乱立し、それぞれが集客のためにYammerを活用することになったことだと思います。その結果、イベント告知のようなオフィシャルな情報を共有する場というイメージができつつあり、投稿しにくくなったのではないかと考えました。加えて、Yammerのようなオープンな場に投稿することに苦手意識を持っている方が、まだ少なからずいるということも考えられました。

——富士通に限らず、企業のオンライン・コミュニティにありがちなことですね。

マサさん　そこで注目したのがチャットでした。Teamsのチャット機能は、Yammerのようにテーマ別のスレッドがなく、投稿された情報が時系列に流れていく「ライブ感」があります。Yammer に比べて、会話のキャッチボールをしている感覚や、相手を身近に感じられる効果もあるようです。また、直前の投稿に関係のないことを投稿してもよいので、話題をリセットしやすいという効果もあります。その反面、投稿された情報をあとから振り返りにくいという意見もあるので、そこは用途や目的に応じて使い分ければよいと思いました。

――なるほど、そうして誕生したのが Teams を使った「やわらかチャット」ですね。

マサさん　「やわデザ」で知り合った何名かに、前述のようなチャットグループをつくりたいと相談したところ、すぐにやってみようという意見や、ルールを決めてからにしようという意見など、いろいろありましたが、そこは「やわデザ」らしくメンバーを信じて、「まずはやってみよう。もしうまくいかなければやめればいいし、もっと良いアイデアがあればそれに変えればいい」とデザイン思考的に考え、相談した直後に立ち上げました。結果として、Teams のチャット機能は日常のコミュニケーションが中心、Yammer は各種イベントの告知投稿と関連のやり取りが中心と、ツールの使い分けが自然と進む中、双方の連動を図ることで、いずれも参加者を拡大させることができました。

富士通グループ13万人の集合知を活用できるカルチャー

――「やわデザ」の認知度が高まる中、フジトラのステートメントにあった「オープンなコラボレーション」があちこちから生まれています。これからの組織はどのようになっていくとお考えでしょうか?

マサさん　企業を取り巻く環境の変化が激しく、ビジネスモデルだけでなく、組織のあり方についても常に意識をする必要があります。今の富士通においても、特に情報の伝達スピードについては、日常的なコミュニケーションツールとして何を使っているか、誰とつながっているかなどで差が開きつつあると感じています。組織や仕事のスタイルにも影響を及ぼし始めているのではないでしょうか。

――具体的には、どのような影響でしょうか?

マサさん　私個人でいえば、テレワークに移行してから、所属する組織外での知り合いが増えました。オンラインであれば組織外の人とも容易につながることができます。実際、困ったときは「やわらかチャット」に相談すれば、たいてい誰かがすぐに回答してくれます。テレワークが当たり前になり、従来のオフィスにあった物理的な組織の壁がなくなったことで、普段は意識することがなかった富士通グループの大きさや、事業の多様さを改めて実感しました。

――社内で日常的にコミュニケーションできる範囲が格段に広がったわけですね。

マサさん　Yammerで情報発信をする社員や組織が爆発的に増えたことで、以前は知りえなかった情報を手軽に入手できたり、社内報などの全社メディアに掲載されなくとも他部署の取り組みが把握できるようになったりしました。かつてブログやＳＮＳが社会に普及し始めたときのように、慣れていない方は戸惑いが隠せないようですが、今の社会では普通のことですよね。若い世代の多くがＳＮＳによる情報発信を日常的に行っている一方で、オンライン上で情報発信をしていない社員は、組織内での存在感が薄れていくことが懸念されます。

――コミュニティの存在が、組織のあり方や社員の働き方を変えてしまう可能性を秘めているということですね。

マサさん　コミュニティをいかに有効活用できるかが、企業の競争力を左右するとも言えます。ビジネス現場でよく使われる表現を借りれば、富士通も含め、これからの企業には、すでに確立されたビジネスモデルを成長させる「10から100」だけでなく、アイデアから事業の芽を生む「0から1」、事業にするための試行錯誤を行う「1から10」を強化することが求められていますが、特に大企業の組織横断型コミュニティには後者の取り組みを後押しする役割が期待できます。

――組織横断型コミュニティが「0から1」「1から10」の取り組みに有効だというのは、どのような理由でしょうか？

マサさん　テレワークが当たり前になったことによって、これまで当たり前に存在していた「境界」が、いたるところで消えたり、薄くなったりしているのが今の時代なのではないでしょうか。ビジネスの世界では、これまで別の業界だと思っていた企業が、突然、目の前に現れて自社のビジネスを脅かすといったことが、あちこちで起こっています。つまり、何がどのように仕事に役立つかはもう誰にもわからない。社員の誰もが、情報だけでなく人にも自由自在にアクセスし、全社あちこちに散らばっているあらゆる知識やノウハウを自身の成長やビジネスの創出に活かすことができる、そんな共有財産としてのコミュニティが企業に求められるのではないでしょうか。

――そうしたコミュニティをつくるうえで、何が大切でしょうか？

マサさん　いかに全社的な取り組みにしていくか、が問われるでしょう。コミュニティを通じた横断的な活動が「非公式活動」「有志活動」といった枠組みにカテゴライズされたままでは、関われる人がごく一部になってしまいます。先ほど「0から1」「1から10」に有効と言いましたが、「10から100」を担う組織であっても、コミュニティの存在は好影響を与えます。どんな組織でも、コミュニティを活用できるという視点に立つことで、生産性や価値創造力を高めることができるはず。コミュニティを企業の共有財産として、全社で育て、広げていくことが、会社全体としても肥沃な土壌づくりにつながり、結果的にみんながハッピーになる世界がつくれるのではないかと思います。そんな実験が「やわデザ」に限らず、富士通グループのあちこちで起こっています。

――そんな世界をつくっていくために何が重要だと思われますか？

マサさん　メンバーの主体性だと思っています。「やわデザ」の立ち上げにあたって、運営者や管理者が固定された社内コミュニティは長続きしないのではと考えていました。実際、運営者の異動や退職など、何らかの事情で継続できなくなった活動や取り組みを過去に何度も見てきました。一方で、運営者は「発信する側」、参加者は「受け取る側」というマインドができ上がってしまうと、どうしても参加者が受け身になり、自発的に行動したり、創造性を発揮したりする機会を奪ってしまいかねません。ですから私自身、「運営者」「管理者」という意識を持たないで、一人の実践者として、楽しみながらやっている感覚です。

――コミュニティを活性化させるには、メンバー一人ひとりが主体的に行動する姿勢が求められるわけですね。

マサさん　人は、自分で考え、行動することで成長していきます。もちろん、行動には責任が伴いますが、「言われたからやらなければ」という義務感だけでイヤイヤ仕事をする社員ばかりの企業に、明るい未来があるとは思えませんよね。正解のない今の時代、創造性を発揮しながら、計画されていないことにも興味と関心を持ち、目的達成のために必要と思えば試してみる、一人でできなければ仲間を誘ってみる、というマインドや行動が大切ではないでしょうか。そうした考えで行動し続けていれば、仕事もきっと楽しくなると思います。

——「やわデザ」内で醸し出されているオープンで自由な雰囲気は、そうした考えから生まれてきたものなのですね。

マサさん　「やわデザ」に参加するために必要なものは「オープンマインド」と「スマイル」としています。これもメンバーと話し合っている中で見出した態度や行動スタイルです。たったこれだけのことが、多くの社員と「顔の見える関係」をつくり、自己肯定感を高め、富士通で働く意味や喜びを見出し、みんなで会社全体をより良くしていこうという土壌づくりにつながっていると感じています。

第3章

「やわデザ」を活性化させる多彩な対話型イベント

これまで紹介してきたように、組織横断型オンライン・コミュニティ「やわデザ」は、富士通グループ全体にデザイン思考を広めるとともに、組織や役職を問わないオープンで自発的なコラボレーションを生み出すカルチャーを育むことを目的としています。

この目的を達成すべく、コミュニティの参加メンバー同士の積極的な交流を促進しようと、ワークショップやセッションなど様々な対話型イベントが企画、開催されました。そこからメンバー同士の対話が深まり、共感と信頼が育まれるとともに、新たなコミュニティが派生するなどして、富士通内に豊かな人的ネットワークを広げています。

本章では、「やわデザ」から生まれた様々な取り組みの中から、いくつか実例を紹介していきます。本書を読んで「自分も社内コミュニティを立ち上げよう」と思われたみなさんの参考になれば幸いです。

参加者同士の心の距離を縮める「やわらかチャット」

はじめに紹介するのは、第1章でも触れた「やわらかチャット」。Teamsのチャットグループ機能を用いた、日常的な会話や雑談が主体のコミュニティです。

この取り組みの背景には、コロナ禍でテレワークが定着するのに伴い、社員間のつながりが希薄になりつつあったことへの危機感がありました。「おはよう!」「今日ネット回線重くない?」「今、地震で揺れなかった?」「お先に失礼します」など、オフィスで働いていた頃には当たり前のように交わされていた社員同士の気軽なコミュニケーションを、テレワーク環境下でも実現したいと考えたのです。

もちろん、こうした雑談がなくとも仕事は進みますし、むしろ仕事に集中できて効率的という見方もあるかもしれません。しかし、社員は機械でもロボットでもありません。すぐ隣に同僚がいたオフィスを離れ、自宅で一人黙々とPCに向かっている状況が続くのは、人によって寂しかったり、つまらなかったりするものです。実際、在宅勤務が続く中で、不安や孤立感を抱く社員が増えたのは富士通だけではないでしょうし、個々の社員の問題にとどまらず、組織全体が停滞感や閉塞感に包まれることも多くあったのではないでしょうか。

そこで立ち上げたのが「やわらかチャット」。参加者が増えて、誰が見ているかわからない公的な場となりつつあったYammerとは別に、ちょっとした挨拶や雑談ができる場として、両者をうまく使い分けできないかと考えたのです。

富士通で在宅勤務が基本となり、「やわデザ」が立ち上がったのが2020年7月のこと。それから約半年後の2021年1月、「やわらかチャット」は誕生しました。「気軽に投稿できるチャットグループがあったら、どんな価値が生まれるだろう?」とのYammerへの投稿を通じて、「やわらかチャット」への参加者を募集したところ、わずか5日間で百人を超える社

やわらかチャットの価値は?

リフレッシュの場(息抜き、癒やし)	71%
ほかの人の考えや意見を知ることができる場(視野が広がる)	70%
雑談ネタを収集できる場	63%
Yammerよりも気軽につぶやける場(挨拶、地震など)	58%
在宅ワークの孤独を和らげてくれる場	55%
仕事で困ったときに何でも質問や相談ができる場	49%
富士通グループの人材の多様性を実感できる場	49%
まるでオフィスで周りの人と雑談しているような場	45%
ほかの組織の仕事を知る場	42%
コミュニティメンバーとのつながりや一体感が得られる場	36%
様々な活動の担当者とつながりを持てる場	35%
フジトラの最新情報を得る場	27%
チャレンジすることを応援する(される)場	26%

(2022年7月時点　217名が回答)

「やわらかチャット」に関するアンケート結果

員が集まりました。いかに多くの人が気軽に日常会話をできる空間を求めていたかがわかるというものです。

その成果を確かめるべくアンケートを取ったところ、次のようなコメントが寄せられました。

・息抜きや癒やしになるリフレッシュの場
・ほかの人の考えや意見を知ることができ、視野が広がる
・雑談ネタを収集できる
・Yammerよりも気軽につぶやける
・仕事で困ったときに質問や相談ができる

こうした声から、このチャットがテレワーク環境下での孤立感を解消するとともに、部門を越えた対話や交流を育み、困ったときに社員同士が助け合える場になっていることが

わかります。

その後、「やわらかチャット」は七百名以上が参加する規模にまで成長するとともに、テーマ別チャットグループへと発展。「やわらかグラレコ!」「やわらかEnglish」「やわらか介護」などのチャットグループが誕生し、組織の枠を越えたコミュニケーションやコラボレーションが日常的に行われています。

「やわデザ」本来の目的に照らしてみれば、これら社内横断チャットグループは、対話型イベントで生まれた社員同士の関係性を、一過性で終わらせず、継続的なものにしていく役割も担っています。イベントをきっかけに生まれたつながりを、日々のチャットを通じて維持し、深めることで仕事上のコラボレーションにつなげていく、そうした効果も期待されています。

誰もが気軽に開催できる「やわらかセッション」

「やわらかチャット」がコミュニティ内のつながりを維持し、深める役割を担っているのに対し、そのつながりをビジネスに活かすための取り組みが「やわらかセッション」。社員や組織が抱える悩みや課題をテーマに、コミュニティメンバーがディスカッションする2時間のオンラインイベントです。

具体的な流れを説明しましょう。まず、解決したい悩みや課題を持つ社員は専用フォームから開催を依頼します。依頼を受けた運営側（セッションガイド）が開催日時を調整して告知文を作成し、依頼者に確認のうえ、Yammer上で告知します。告知を見て興味を持った社員は、開催日時になると指定されたZoomのアドレスにアクセスしてディスカッションに加わります。

　コロナ禍以前にも同様の仕組み（第2章で紹介した富士通みらい会議）がありましたが、依頼を受けてからワークショップを開催するまで最低でも2か月はかかっていました。また、参加者は東京近郊在住の社員に限られていました。そこで、「やわらかセッション」の開催にあたっては、テレワーク主体となった富士通の勤務形態と、当時で約千名が集まっていた「やわデザ」コミュニティ、そして先進のオンラインツールをうまく組み合わせて活用すれば、開催までの時間やコストを限りなくゼロに近づけられると考え、次のような工夫を凝らしました。

・どんなテーマでも同じプログラムで対応
・依頼者との事前打ち合わせは不要
・申し込み不要で参加できる
・予算を気にせず、無料で開催できる
・社員なら誰でも使えるサービス（Microsoft 365）を活用

　この結果、条件さえそろえば、依頼から最短1時間程度でセッションを開催することが可能になり、都市部と地方の間にあった情報格差もなくなりました。実際には、ある程度の人数を集めるため周知期間を長めに取り、依頼から約数週間後に開催するケースが大半です。

こうして開催される「やわらかセッション」では、コミュニティメンバーの中から集まった、組織や価値観の異なる社員たちが、依頼者の抱える悩みや課題について、活発な議論を交わします。そこでのポイントは次の三つです。

・「発散」と「収束」を2回繰り返す
・最後はグループで意見をまとめない
・終了後に1時間の交流会（任意参加）を実施

発散では、参加者それぞれの視点から多様な意見を出し合い、収束ではそれら意見を踏まえて自分なりの答えを出します。あえてグループ単位で意見をまとめない仕組みによって、ユニークな意見やアイデアが埋もれないようにしています。また、セッション終了後の交流会でもディスカッションが続くことが多く、依頼者は自部門だけでは思いつかなかった意見やアイデア、気づきを得ることができます。

２０２０年12月にスタートした「やわらかセッション」は、２０２３年3月までの間に30回近く開催されました。そのテーマは新規事業や顧客課題、社会課題など幅広く、依頼部門も総務や営業、デザイン、情報システム部門など様々です。参加人数は、テーマによってばらつき

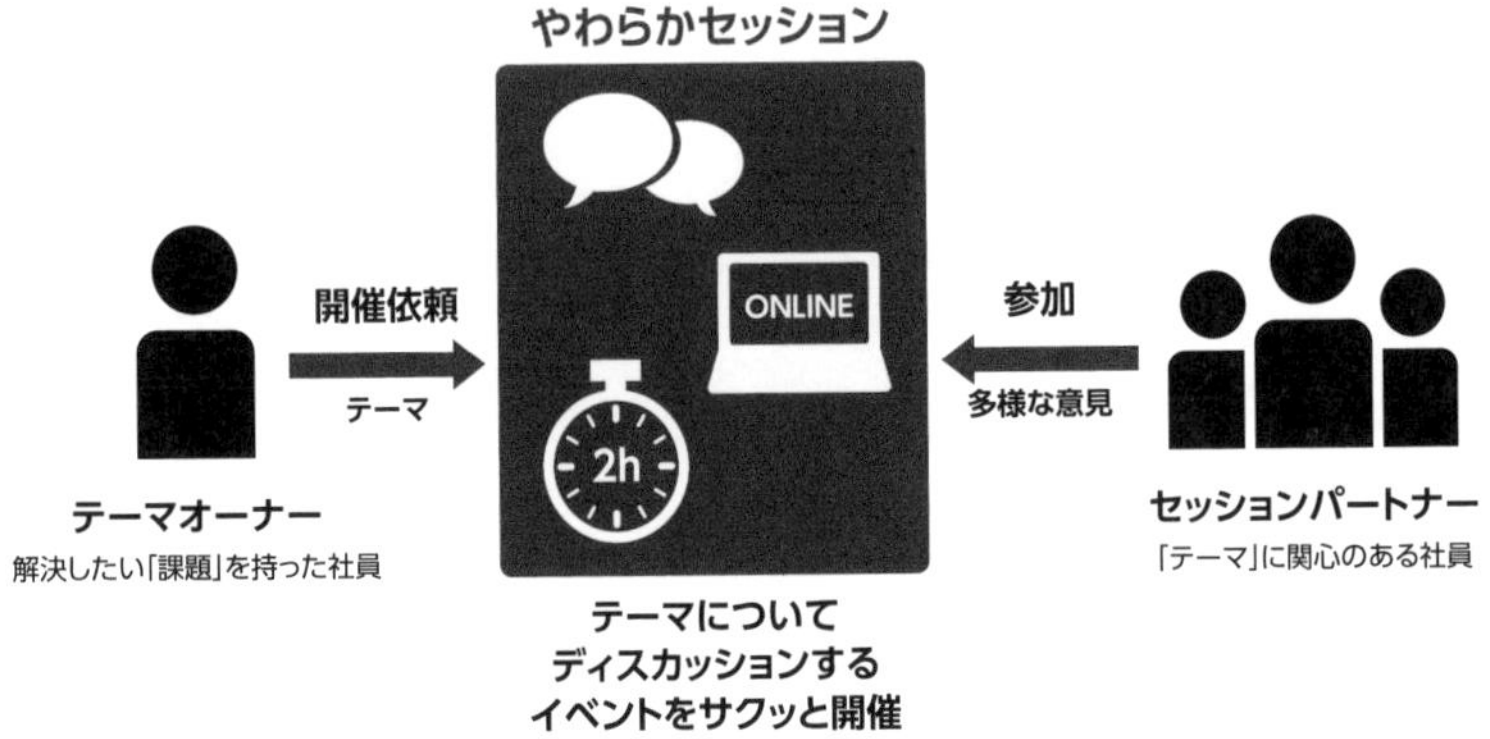

「やわらかセッション」の仕組み

がありますが、平均して15〜20名が参加しており、延べ数百名の社員がセッションを体験しています。また、セッションのアウトプットはYammer上で公開し、取り組みの一部は社内報の記事にするなど、そこから得られた気づきや成果をグループ全体に広げています。

「やわらかセッション」に参加した社員からは、次のような感想が寄せられています。

・自分にはない視点が得られてよかった
・みんなが知恵を出し合えば、何とかなりそう、という気づきが得られた
・幅広い人の意見や考え方を聞いて、普段は使わない頭の領域が刺激された
・人と話すことでどんどんアイデアが出てくるのがおもしろかった
・普段の業務と異なることを考えることで、頭がやわらかくなった

このように、参加者にとって学びの多いセッションとなっており、満足度は平均して8・0点（10点満点）と高く、アンケート回答者のほぼ全員がリピート参加を希望しています。

コミュニティの力をビジネス活用する実験プロジェクトとして始まった「やわらかセッション」は、その運営もマニュアル化し、コミュニティメンバーでまかなう仕組みづくりにチャレンジしました。その結果、依頼者、参加者、運営者それぞれの満足度が非常に高い仕組みとなっています。

一方で、今後に向けた課題もあります。現状では、多くの依頼を受けきれないため、積極的なプロモーションができていません。また、依頼者側でも、課題を組織内で解決しようとする内向き志向や、他組織の社員に関わってもらうことへの遠慮や抵抗があるようで、コラボレーションカルチャーの広がりと醸成が、さらなる普及と活性化に向けたカギとなります。

未読で参加OKな「やわらか読書会」

「やわデザ」では、デザイン思考を富士通グループ内に浸透させるための取り組みの一つとして「やわらか読書会」を開催しています。

読書会といえば、事前に読んできた本について感想や意見を述べ合うというイメージがあって、忙しくて本を読む時間がないから参加は難しいと思われるかもしれません。ところが、「や

Zoomで開催された「やわらか読書会」

わらか読書会」はその名の通り、もっとゆるやかで気軽に参加できます。その理由は「読まずに参加できる」という仕組みにあります。

「やわらか読書会」の参加条件は、あらかじめ告知された課題図書を用意することだけ。事前に読んでおく必要はありません。実際に読書会が始まると、参加者は冒頭で目次や前書きを見て概要をつかみ、「この本から何を学びたいのか」「この本からどんな知識を得られたら、自分の課題を解決できるのか」といった問いを設定。本の中から問いに対する答えを探していきます。はじめに目的意識を明確にすることで、必要とする情報を効率的に得ることができるというわけです。

その後はグループに分かれて、それぞれの問いと答えを発表し、その成果をどのようなアクションにつなげていくか個人で考えたり、グループでディスカッションしたりします。ほかの参加者の発表を聞くことで、本の内容を深く理解し、記憶に残すことができるとともに、自分にはなかった発想やモノの見方を知るなど、新たな気づきが得られます。

こうした手法は「リードフォーアクション（行動するための読書）」と呼ばれるもので、ただ本から知識を得るだけでなく、実際の行動に移すことを重視した取り組みです。

「やわらか読書会」の参加者からは、次のような感想が上がっています。

・一人で読むより、何倍もの気づきがあった
・読書で得た学びをアウトプットすることで、より学びが深まると感じた
・全部読んだわけではないのに、本の内容が理解できた
・同じ本でも人によって求める情報が異なるので、理解も異なるのがおもしろかった
・最初から通して読むのとは違う、新しい本の読み方を教えてもらった
・課題を意識しながらだと、いつもより集中できた

「やわらか読書会」は、「イノベーションを起こすには、組織全体で新しい知識を取り入れ、意識と行動を変える必要がある。リードフォーアクションはそのための効果的な手段になる」との思いからスタート。もともとは対面で開催していた活動がベースとなっており、社内外から延べ千名以上が参加する規模にまで成長しました。

コロナ禍で中止を余儀なくされましたが、むしろオンライン環境を活かして、より多様な人を集める場にできるのではと、「やわデザ」を通じて参加を呼びかけました。その後、「やわらか読書会」は日経新聞にも取り上げられるなど注目を集め、最近では他企業にも参加を呼びかけています。

リードフォーアクション形式の読書会は、本から得た学びを組織を内側から変革する力に変えていく大きな可能性を秘めています。オンライン環境下で簡単に始められるものなので、みなさんの会社でも試してみてはいかがでしょう。

※「リードフォーアクション」は、その発起人である日本のトップマーケッター、神田昌典氏が代表を務めるアルマ・クリエイション株式会社の登録商標です。

未知の分野への挑戦を促す「やわらかコンペ」

「やわデザ」に参加した社員たちは、数々の対話型イベントや投稿によるコミュニケーションを通じて、デザイン思考をはじめとした知見やノウハウを培っていきました。そうして得られた学びを実践、発揮する場として企画されたのが「やわらかコンペ」です。

第1弾として2021年4月にスタートしたのが、株式会社宣伝会議が主催する「第13回販促コンペ」に応募するプロジェクトでした。

このコンペは、主催者の協賛企業から出される商品やサービスのプロモーションに関する課題に対し、解決策となるアイデアを企画書形式で募集するもの。販促＝人が動くコミュニケーションと捉え、実際に「人が動く」「売上につながる」斬新なアイデアを求めており、デザイン思考を実践する場にふさわしい舞台と言えます。

まずはYammer上で次のような告知をしたところ、約20名の社員が名乗りを上げました。

●「やわらかコンペ」でできるようになること

・商品やサービスのプロモーション上の課題に対する解決策となるアイデア出し
・販促活動や企画書作成の実践
・協賛企業や商品、サービスへの理解

●こんな方におススメ

・企画に興味がある方
・新しいチャレンジをしたいけど、具体的に何をしたらいいかわからない方
・知識のインプットだけでなく、実践的なアウトプットをしたい方
・仲間と力を合わせて企画力を磨きたい方

販促コンペでは17の課題が設定されており、集まったメンバーに取り組みたい課題を選んでもらい、３名１組のチームを編成。所属や経験も異なるメンバー同士が、チーム単位でチャッ

トやオンラインミーティングによるコミュニケーションを重ね、それぞれの課題に取り組みました。

メンバーは、約1か月という短い準備期間で企画書をまとめるべく、「やわらかコンペ」運営チームのサポートはもちろん、プロジェクトに参加していない社員からも企画書のレビューを受け、アイデアを練り上げました。

販促コンペは、販促を本業とするプロも数多く応募し、一次審査の通過率は約6％という狭き門です。メンバーの奮闘が実り、1チームがこの難関を突破。残念ながら二次審査を通過することはできませんでしたが、組織を横断した「共創」の価値を改めて実感する機会となりました。

その後、2021年9月には第2弾として、宣伝会議がコピーライターの登竜門として開催する「宣伝会議賞」に挑戦。約70名の参加者がコピーライティングの基礎を学んだうえで応募し、通過率0・96％の一次審査を4名が通過するという成果を上げました。

さらに2022年4月には、前年に引き続き「販促コンペ」に挑む「やわらかコンペ2022（販促編）」も開催しています。

なお、こうした取り組みに興味を持った宣伝会議の取材を受け、その様子が雑誌「販促会議7月号（2022年）」、ウェブメディア「AdverTimes.（アドタイ）」の両メディアに掲載さ

販促会議 2022 年７月号に掲載された「やわデザ」の取り組み

「やわらかコンペ 2022（販促編）」の一次審査通過を報告する投稿

れました。思わぬところで、組織横断型コミュニティの価値をプロモーションできました。

「やわらかコンペ」の参加者からは、次のような声が上がっています。

・参加者同士で刺激し合いながら、楽しく進められたことが気持ち良かった
・新しい世界に足を踏み入れることが刺激になった
・課題企業を知ることで、視野が広がった
・販促企画やコピーライティングなど、普段の業務にも役立つノウハウを身につけられた

「やわデザ」メンバーは、今後もこうした外部コンペへの挑戦を継続し、コミュニティで得られた学びを実践するとともに、組織の枠を越えてコラボレーションし、集合知を活用するカルチャーの醸成につなげていく考えです。

社外からの知見を導入する体験型イベント

「やわデザ」では、社内やグループ内の異なる組織間でのつながりに加え、社外も含めたより広い集合知を育もうと、社外から有識者を招いた体験型イベントを企画、開催しています。

そのきっかけとなったのは「やわデザ」を活性化するためにアイデアを出し合おうと有志が集まった「やわらか企画会議」。社外にも豊富な人脈を持つあるメンバーから、「社内ではなかなか味わえない体験を提供していこう」との声が上がり、その第1弾として「食べる瞑想」が

提案されました。

食べる瞑想とは、食べるマインドフルネスとも呼ばれ、五感を意識しながら食事をすることで生じた感情や思考を、深く観察していく瞑想方法です。２０２０年11月に外部講師を招いて開催されたオンラインイベントには、約60名の社員が集まり、普段の何倍もの時間をかけて食事を味わう体験を通じて、次のような刺激を得ていました。

・こんなに食事に集中したのは初めて
・久しぶりに食べ物のすべての味を感じることができた
・こんな味がするんだ、という発見がありました
・食事を通じて自分を見つめ直し、認めることができた

食べる瞑想で手応えが得られたことで、２０２１年１月には第2弾となるイベント「アートを通

食べながら脳をやわらかくしよう
～食べる瞑想～
「食べる」って幸せなことですよね。
でも忙しい毎日を過ごす私たちは大切な食事を
忘れてしまっています。
そんなあなたに「食べる瞑想」。自分の為に「食」
を感じてみませんか？
2020年11月12日 18:30～19:30
定員：100名
オンライン開催：Zoom
講師：ZenEating代表
ももえさん
主催：やわらかデザイン脳「食べる瞑想」愛するメンバー

体験型イベント第一弾「食べる瞑想」

してバイアスを外す体験」を開催。前回の評判をもとに90名の社員が参加しました。バイアスとは偏り、偏向のことで、日常で無意識のうちに働いているバイアスを、作家名や作品名を隠したアート作品の鑑賞を通じて自覚し、外していこうというのがイベントの趣旨で、次のような感想が得られました。

- ・人によるバイアスの違いが感じられ、有意義だった
- ・そもそもアートに触れる機会がないので、刺激を受けた
- ・自分の思考の癖に気づくことができた
- ・同じ試みを部内のメンバーとしてみたら、意外な一面に気づけそう

外部講師を招いた体験型イベントは、その後も「地球の環境を身近に考える体験」「ついつい喋りたくなるレポーター体験」など、幅広いテーマで開催されています。

主催メンバーが「イベントの場だけでなく、終了後も講師の方とのつながりを維持して、社外での人脈づくりのきっかけにしてほしい」と語るように、これらイベントは、普段の仕事からは得られない体験を通じて、社員の視野や関心、さらには世界そのものを広げる場となっているのです。

第4章

「スナックまり」のママが語る社内コミュニティの価値

前章で紹介した取り組み以外にも、「やわデザ」から多くの取り組みが派生しています。なかでもユニークなのがオンラインスナック「スナックまり」。なんと富士通グループ内でスナックを主催し、オンライン飲み会をやろうというのですから驚かされます。

本章では、その主催者である「まりママ」こと日水真理（ひみず・まり）さんにインタビューを行い、いまや富士通のカルチャー変革を象徴する存在となった「スナックまり」の活動経緯や、そこで気づいた社内コミュニティの価値などについて語っていただきました。

富士通入社後のモヤモヤ感

――「スナックまり」の雰囲気を再現できるよう、ここでは「まりママ」で通させていただきます。「スナックまり」オープンに至る経緯を伺っていきたいのですが、少し遡って、まずは富士通に入社された経緯から教えてください。

まりママ　両親ともに教員である家庭で育った影響から、私も大学では教育学部でした。それが、教育実習を経て教員免許取得という一つのゴールを迎えたとき、「もっと違うことをしてみたい」という気持ちが湧いてきました。

――富士通を含めたＩＴ業界には、それ以前から興味はあったのでしょうか？

まりママ　そういうわけでなく、いろんな業界を幅広く見ていたときに、企業の就職説明会に参加したところ、「今の時代、どんな会社でもITは必須。ITは会社を成長させ、社会を変えるカギになるもの」と聞いたことで、IT業界に興味を持ちました。そうした中で、OB訪問を機に富士通と出会い、チャレンジ精神が歓迎される風土があると聞き、そのマインドに引かれたことと、あとは最初に内定をいただいたことから入社を決めました(笑)。

——入社当初は思うように活躍できなかったと伺っていますが、どのような状況だったのでしょうか?

まりママ 「ITでもっとおもしろい世界をつくっていきたい」という夢を抱いて入社したものの、その夢を目の前の仕事と結びつけることができず、モヤモヤした思いを抱えていました。営業職に配属されましたが、はじめは当たり前かもしれませんが議事録とかサポート的な業務が中心で、商談の場でお客様に自ら提案するところまで、なかなかたどりつけずにいました。

——そんなモヤモヤを解消するきっかけは何だったのでしょうか?

まりママ 転機になったのが、長野県のゲストハウスを訪れたこと。友人から「ゲストハウスでいろんな人と話したら、きっと世界が広がるよ」と言われて、救いを求める気持ちで行ったところ、バックパッカーやフリーター、大企業の社員、ベンチャー企業の経営者、地域の人など、多様なバックグラウンドを持った方々が集まっていました。それも所属や経歴、常連や初対面など関係なく、形式ばって自己紹介とかしなくても、ただそこにいるだけで「おかえり」と言い合えるフラットな関係で、すぐに打ち解けられるオープンな雰囲気がありました。

――所属や部署に関係なく交流できる雰囲気は「やわデザ」と共通するものがありますね。

まりママ　そこには、多様な視点や価値観を持った方々が集まっており、対話を通じて視野が広がるのを感じました。私の悩みに対しても「そこまで悩まなくてもいいんじゃない？」とか「まりさんはそう思っているかもしれないけど、こういうふうにも言えると思う」などと声をかけていただき、いかに自分が一つの社会の

中の狭い範囲で物事を考えていたかということに気づかされました。フラットでオープンな環境にいることで、自分を取り巻く組織や社会を含めて、俯瞰で見えてくる感覚がありました。そうすると、意外なところに自分の良さが見えたり、悩みの本質的なことが見えてきたりするので、ゲストハウスから帰ってくる頃には次の一歩を踏み出すエネルギーが湧いてきました。そうした経験から「いつか私もこういう場をつくりたい！」と思ったことが、「スナックまり」につながっていきます。

「スナックまり」オープン

――ゲストハウスでの経験が、どのようにスナックへと結びついていったのでしょうか？

まりママ　ゲストハウスが視野を広げる入口になって、「もっと会社以外の人と知り合いたい」という気持ちが芽生え、興味を持った社外のイベントに足を運ぶようになりました。そこでまたいろんな人たちと知り合い、お互いのやりたいことや悩みごとを共有する中で、「まりさんがやりたいことは、ここで実現できるかもしれない」とご提案いただいたのが「日替わり店長のバー」でした。場づくりに関心を持っていた私にとって「これは運命だ！」と直感的に思い、すぐに店長募集の申し込みフォームから応募しました。

――最初は社外での一日店長というか、一日ママから「スナックまり」がスタートしたのですね。もともとスナックはお好きだったのでしょうか？

まりママ　会社の先輩や上司に、二次会とかで何度か連れて行ってもらったことがありました。「どうしてスナックなの？」とよく聞かれるのですが、スナックという空間には、職場でかぶっている仮面や組織の壁を取り払って、その人本来の「素の自分」を出し合える雰囲気があると思います。一人ひとりに向かい合いながら対話できるという魅力を感じていました。そうした場づくりをしたいと、あくまで趣味として、月に1回くらいのペースで続けていました。

――プライベートの活動だった「スナックまり」が富士通グループ内の活動になっていったのは、どのような経緯からでしょうか？

まりママ　いろんなきっかけがあります。例えば、会社の先輩の勧めで大企業の異業種コミュニティに参加する中で、同じ大企業の方でも多様なバックボーンを持ち、新しいチャレンジをしている方々と出会うことで刺激を受けました。また、そこで知り合った大手ガラスメーカーの社員さんから、自社製品のグラスを使って社外向けにスナックを開催しているという話を聞き、スナックという形態であれば、本業を続けながらも社内外で場づくりを始めやすいのではないかと、発想を膨らませていきました。

――社内開催の後押しとなったのは、「やわデザ」との出会いだったのでしょうか？

まりママ　そうですね。「やわデザ」との出会いをきっかけに、社内で「スナックまり」を開催する一歩を踏み出すことができました。「やわデザ」の存在を人づてに知って、実際にYammerで見てみたところ、あの日のゲストハウスのような空気を感じてミートアップイベントに参加しました。そこで、「社内でスナックをやりたい」という構想を話したら、多くの方から「いいね」と言ってもらえて、「一緒にやろう」という仲間も名乗り出てくれました。そうした周囲の後押しがあって、2020年の夏に「スナックまり」を始めることができました。コロナ禍でのスタートでしたので、Zoomを活用したオンラインスナックという形式でした。私一人では実現できなかったし、続けることもできなかったと思い

たくさんの参加者でにぎわう「スナックまり」

ますので、「やわデザ」で出会ったみなさんには本当に感謝しています。

「スナックまり」を通じて実現したかった自身のパーパス

——経緯をお聞きしていると、ただスナックをやりたかったというより、「スナックまり」という活動を通じて成し遂げたいものがあったように感じます。そのあたり、いかがでしょうか？

まりママ　スナックを社内で始めた経緯は、決してポジティブな気持ちではなかったんです。むしろ「もう会社を辞めようか」とまで思っていたくらい、社内での自分の存在意義が見出せずにいました。そこで、辞めるくらいなら、本当の自分をさらけ出してみよう。自分が本来持っていて、これまで社内では発揮できなかった力をぶつけてみよう。そうすれば、会社に何らかのインパクトを与えられるかも、と思ったのです。

——それが、プライベートで続けていたスナック活動だったのですね。

まりママ　はい。社外で知り合いを集めてスナックで一日店長した際に、「まりちゃんに話を聞いてもらうと安心する」と言っていただいたことや、「新しいつながりができて、こんな活動につながったよ！」と報告してもらえたこともありました。そんなみなさんからの声が力になり、きっとこれが私の強みだと自信を持てるようになったんです。そして最後は、「これが私だ！」という勢いで（笑）、いわば反骨心のような思いが原動力となって、社内でスナック活動を進めていきました。

――それがまりママが富士通でやりたかったこと、まさにパーパスだったわけですね。

まりママ　私のパーパスは「心震える体験を通じて、人・組織・事業をエンパワーする」。「心震える」という言葉は、ゲストハウスを始まりとして、スナックや仕事での人脈、さらには「やわデザ」も含めて、多くの人と出会い、関わる中で感じたイメージを表現したもの。形式的・表面的な会話でなく、心と心で会話する中で共鳴していくような体験をもとにしています。私のように、やりたいことが見つかっていない人や、「もっとこういうことをやりたい」と考えている人に、私が感じた心震える体験を伝えて、組織や事業を元気にしていきたいと思っています。

――周囲を元気にすることが、まりママのやりたいことであり、強みでもあるわけですね。もともと周囲をエンパワーする資質があったのでしょうね。

まりママ　そう言われてみると、親戚の中でも自分が一番年下でしたので、小さい頃から、必然的に周りを和ますポジションではありました。おかげで大勢の中で、いろんな人の動きを見て雰囲気を察知する癖がついたのかな、と思います。大学の友人からも「飲み会をうまく盛り上げてくれる人」というポジションで重宝されました（笑）。特に意識していたわけではありませんが、居心地が悪そうな人がいたら気になって、自然と会話に加わるよう話しかけたり、周囲を巻き込んで盛り上げる雰囲気づくりをしたりすることは得意だったと思います。

――そうしたスキルは、コロナ禍で社内のコミュニケーションが損なわれつつあった当時、社内でも必要とされていたのでは?

まりママ　コロナ禍の影響は大きかったですね。自分のやりたいことと、目の前の仕事が結びつけられない状況にモヤモヤとしていたのに加え、コロナで家から出られない日々が続いて社外とのつながりも遮断されていました。その大きな抑圧が、ジャンプする前にしゃがみ込むようなエネルギーとなって、一歩踏み出す後押しをしてくれま

コロナ禍以前、社外で「一日店長」という形で始めた「スナックまり」

した。「自分が本当にやりたいことって何だろう」と考える時間が増えたことも、プラスに働いた気がしますね。

経営層も巻き込む大きなムーブメント

――こうしてオープンした「スナックまり」ですが、当初はどのくらいの規模からスタートしたのでしょうか？

まりママ　まずはZoomを使って、双方向でコミュニケーションができるスタイルで始めました。初回の参加者は10人ほどでしたが、富士通グループ内の多様な部署から参加してもらえたおかげで、新しいつながりを生み出すことができました。大企業に特有の他部署の人とは話したことがないという課題解決にも寄与できたのかなと思います。

――「スナックまり」を通じて組織の課題を解決したいとの思いもあったのでしょうか？

まりママ　始めた当初はそこまで考えていたわけではなく（笑）、最初は「とにかくみなさんに楽しんでもらいたい」という想いで始めたのですが、これまでの富士通にない取り組みであったことから、「富士通でこんなことができるんだ」と刺激を与える効果があったようです。「まりママのおかげで、私も新しいことにチャレンジできたよ」と言ってもらえたこともあり、本当に嬉しかったですね。

――逆に、ネガティブな反応はなかったのでしょうか？

まりママ　今だから言えますが、最初は「社内活動でスナックってどうなんですか？」という声もありました。けれど、活動が広まるにつれて、だんだんと応援してくれる人が増えていきましたね。

――風向きが変わったのは、CDXO兼CIOの福田さんの参加が大きかったのだとか。

まりママ　そうですね。2020年10月に富士通の社外向けオンラインイベントに参加する機会があり、そこで「スナックまり」の話をさせてもらったんです。それを見た福田さんからYammerを通じて「ウェビナー形式のオンラインスナックを開催してみませんか？」とご提案いただいたんです。それをきっかけに「スナックまり」を知ってくれる人が増えて、社内公認を得たようになり、一気に活動の幅が広がりました。集客力も上がり、最大660人が参加してくれるまでになりました。

――経営陣が直接面識のない若手社員の取り組みを支援するというのは、すごいことですね。

まりママ　声がかかったときは本当にびっくりしました！当時はまだ、一般社員からすると役員の方は雲の上のような存在でしたから（笑）。その後、実際に「スナックまり（特別版）」という名称でウェビナーイベントを開催しました。スナックという場の雰囲気が功を奏して、役員の方の普段は見られない顔を見ることができ、変な言い方ですが、役員の方も同じ人間なんだと感じましたね。

――そうした経緯もあってか、今では「スナックまり」が富士通の変革の象徴のように語られています。

まりママ　確かに、私が入社した２０１７年だと、まだオフィスも固定席で、社内ＳＮＳもなく、ちょっと足を運んだくらいでは他部署の人とつながるのは難しい空気がありました。それが、２０２０年ぐらいからYammerをはじめとしたＳＮＳが広がりだして、所属する組織や肩書き、キャリアに関係なくつながれるカルチャーが浸透し始め、今では、それまで接点のなかった社員同士がコラボレーションできるようになっていて、ここ数年で大きく変わったと感じています。

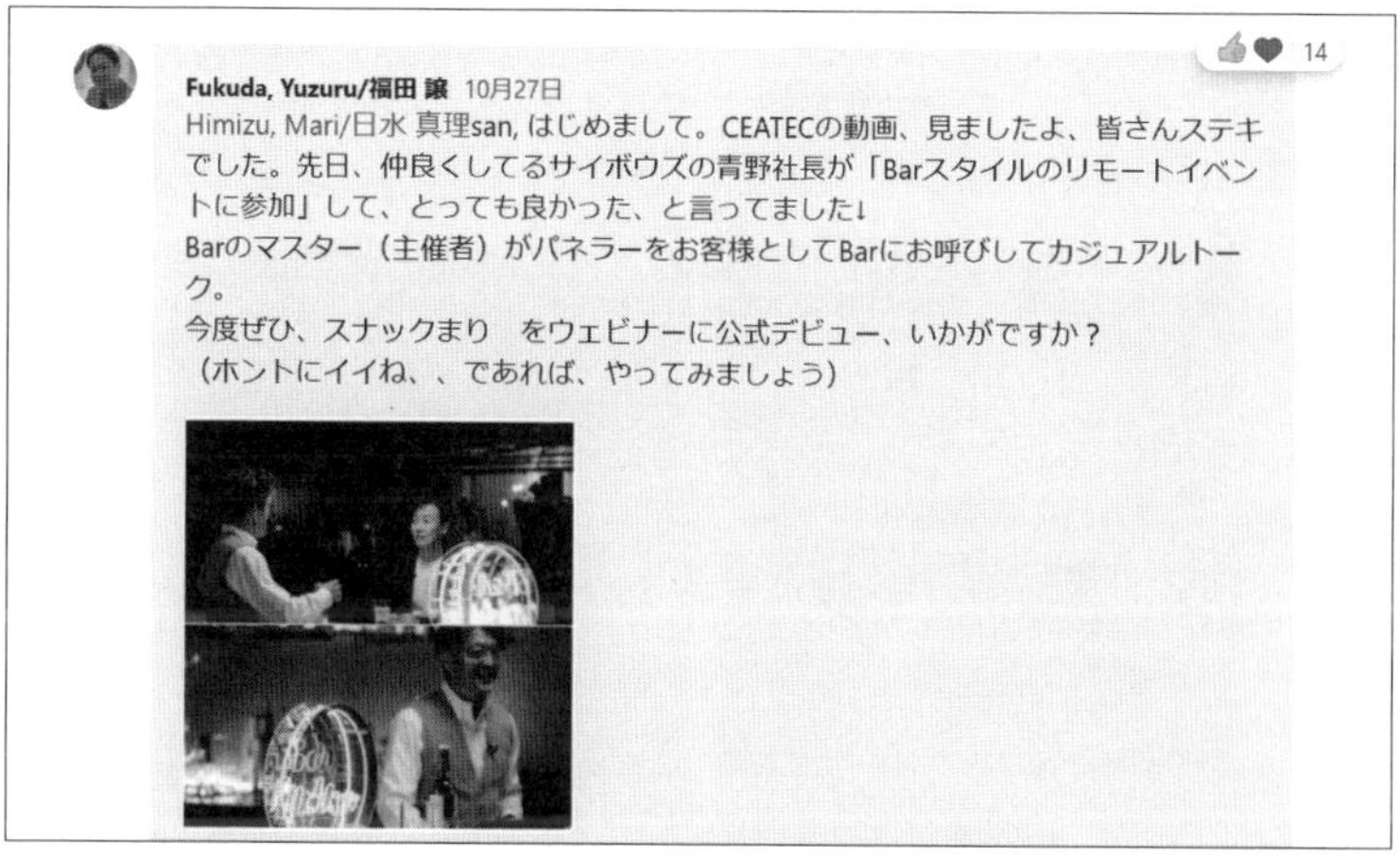
14
Fukuda, Yuzuru/福田 譲 10月27日
Himizu, Mari/日水 真理san, はじめまして。CEATECの動画、見ましたよ、皆さんステキでした。先日、仲良くしてるサイボウズの青野社長が「Barスタイルのリモートイベントに参加」して、とっても良かった、と言ってました↓
Barのマスター（主催者）がパネラーをお客様としてBarにお呼びしてカジュアルトーク。
今度ぜひ、スナックまり　をウェビナーに公式デビュー、いかがですか？
（ホントにイイね、、であれば、やってみましょう）

福田さんからまりママに届いたメッセージが飛躍のきっかけに

――そうしたカルチャー変革を牽引できたという自負はありますか？

まりママ　私自身は、自分が心からチャレンジしてみたいと思ったことを行動に移しただけです。ただ、その行動に後押しされて、「自分もチャレンジしたいと思った」という声が多く寄せられた点において、カルチャー変革にも関わることができたのかも、と思います。また、「スナックまり（特別版）」で話題になった「心理的安全性」という言葉が、カルチャー変革のカギとなっていると感じています。

――心理的安全性といえば、近年「成功する組織の条件」として、ビジネス界でも注目されている心理学用語です。

まりママ　福田さんとともに「スナックまり（特

経営層の素顔が垣間見られた「スナックまり（特別版）」

別版）」に参加いただいた人事部門トップのCHRO（最高人事責任者）の平松さんから「権威や忖度にとらわれることなく、部下と上司が本音で語り合える健全な関係性を築くには心理的安全性が重要」との発言がありました。まさに「スナックまり」で実現したかった世界に近いひと言でした。役員とか一般社員とか関係なく、肩書きのない一人の人間同士として対話できる場をつくるという意味では、富士通グループにおける心理的安全性のファーストペンギンになれたのではないかと思っています。

「スナックまり」が自身にもたらした変化

――「スナックまり」の活動を通じて、まりママ自身はどう変わったと感じていますか？

まりママ　仕事面での大きな変化がありました。まず、2021年に営業部門から企画部門に異動になり、社会課題の解決に寄与する技術やサービスのPR活動などを担当しました。さらに、希望する部署に期間限定で部署異動できる「JOBチャレ!!」制度を利用して、2023年1月から3か月間、DX関連の事業部に、いわば「お試し異動」しています。

――どのような経緯で「お試し異動」されたのでしょうか？

まりママ　「スナックまり」の活動を知っていただいた社員の方から「うちの部署でも一度、スナック企画をやってみない？」と誘われたのがきっかけです。企業のDXを支援する世界最先端のデータプラットフォームを扱う部署で、そのマーケティングにスナックを活用できないか、というお話でした。

――「スナックまり」を社内コミュニティとしてだけでなく、マーケティングにも活用しようということでしょうか？

まりママ　富士通では、お客様をデータドリブン経営へ、つまりデータに基づく経営判断ができるよう変革いただくために、このデータプラットフォームと専門性の高いデータエンジニアやデータサイエンティストを提供しています。より良いソリューションを提供するためには、お客様がリアルに悩んでいる業務課題にアプローチする必要がありますが、富士通はＩＴの会社ですから、通常の営業活動ではお客様のＩＴ部門の方にしか、なかなかお会いすることができないという課題があります。そこで、スナックというオープンでフラットな場をうまく活用することで、これまで会う機会を創出できなかった業務部門の方とも接点をつくることができるのではないか、そんな仮説のもと、新しいスナックの形を模索しています。この場では、富士通で実際に変革を実践した業務部門の役員とお客様業務部門の役員とが本音で語り合ってもらい、悩みの共感や我々の実践の生の声を届ける場にしたいと思っています。お客様が役員層になるので、スナックまりの雰囲気はそのままに、「スナックまり Premium」という名前でプロジェクトを進めています。

――なるほど。新しい職場で、今までにないやりがいを感じているようですね。

まりママ　以前は「やりたいことと やっていることが合わない」「居場所がない」という感覚があって、職場に対してネガティブな印象もありましたが、それは自分が狭い範囲だけで考えていたから。思い切って一歩踏み出し、周囲に声をかけてみれば、「富士通はこんなにも幅広いことをやっていて、こんなにも多彩な人が活躍しているんだ」と知ることができ、あらためて富士通の魅力に気づくことができました。

――富士通グループにいることをポジティブに感じられるようになったというわけですね。

まりママ　世間からすると「大企業の人たちって堅そう、風通し悪そう」と思われているかもしれませんが、そうしたイメージを払拭したいですね。実際は大企業ならではの多彩な人材、多様な価値観があって、すごく大きなポテンシャルを持っていることを伝えたいです。そう思えるようになったのも、自分の視野が広がった証しだと思います。

目標は富士通社員をエンパワーメントすること

――同じようなモヤモヤを抱えている社員も少なくないと思います。

まりママ　「スナックまり」を始める前の私がそうだったように、一人でモヤモヤを抱えていても何も変わらないので、悩んだらまず動いてみることだと思います。興味ある場所に足を運んだり、先陣を切っている人に話を聞いたり、それが直接、何につながるかわからなくても、そこから得られることや、始まることがあるはず。「業務時間内にそんなことできない」とか否定から入るのではなく、上司に提案してみたり、それが無理なら趣味の一環としてやってみたりと、可能性を探っていく姿勢を持ってほしいですね。

――悩みがあれば、まず動いてみる、声を上げてみる。そうした姿勢を「スナックまり」が、後押ししている面もあるのではないでしょうか？

まりママ　そうなればとても嬉しいです。例えば、社内でオンラインスナックを開催する際は、初めて参加された方に必ず自己紹介してもらっていて、それも仕事の話だけじゃなくて、今ハマっていることとか、好きなことを話してもらっています。オンライン飲み会では一度に話せるのは一人だけなので、自然と参加した参加者全員がその人の話を聞くことになる。いわば「オンステージ」の構図をつくれるのがメリットだと思います。話し手にとっては「自分の話をこれだけの人が聞いてくれている」と自己肯定感が高まるでしょうし、聞き手にとっても、普段は聞かない話にも自然と耳を傾け、自分にはない価値観も受け入れやすくなったという声もあります。

――オンライン飲み会にそんな効果もあったのですね。

まりママ　加えて、組織を越えた全国各地にいる社員同士のつながりをつくるきっかけにもなれたと思います。特に、スタートしたのがコロナ禍の時期でしたので、テレワークで職場のつながりが減ってしまったり、情報が届かなかったりすることで、みなさんずっと不安に感じていたと思います。それが、オンラインならではの強みで、富士通グループの社員同士がつながって、何気ない話や情報交換ができたことに、大きな意義があったのではないかと。

――組織を越えたつながりが生む「オープンなコラボレーション」は、「やわデザ」が追求する価値でもあります。

まりママ　会社という組織にいると、どうしても組織の目標にのみ集中して、「遊び」がなくなってしまいがちですが、まったく遊びがないと、仕事が楽しめなくなるし、新しい発想やアイデアも生まれてこなくなってしまう。横のつながりという遊びをつくりながら、「こういうことができたら楽しいよね」と対話する中で、組織としての目標を達成しつつ、プラスアルファの価値も生み出す循環ができたらいいですよね。

――確かに、組織内だけで完結するのでなく、組織外からの視点や発想を加えることで、何か新しいものが生まれてくるかもしれません。

まりママ　例えばですが、今日、この着物を着付けてくれたのも富士通社員の方で、「社内で着付けのスキルを発揮できると思わなかった。本当に嬉しい！」と言ってくださって、私も嬉しくなりました。その方に限らず、職場で発揮する機会のない知識やノウハウを持っている人は少なくないと思うので、「スナックまり」での雑談が、そうした秘められた実力を発揮するきっかけになれば、嬉しいですね。

——本人の自己肯定感を高めるというだけでなく、組織のポテンシャルを高めることにもつながりますね。

まりママ　そうですね。今後も「スナックまり」での楽しい思い出や、参加者や仲間のみなさんとのつながりを大切にしながら、より一層「人・組織・事業をエンパワー」していけたらと思います。

第5章

「やわデザ」が富士通社員にもたらした変化

ここまで、富士通の組織横断型オンライン・コミュニティ「やわデザ」の歩みや活動内容を、主に運営者側の視点から紹介してきましたが、ここからは「やわデザ」でのコミュニティ活動が、富士通社員にどのような変化をもたらしたかを紹介していきます。

「やわデザ」メンバーを対象に実施したアンケートの結果や、寄せられた「メンバーの声」からは、組織の枠を越えたコミュニティが社員にもたらす様々な好影響が見て取れました。

アンケートに寄せられた多くの声が語るもの

2021年秋、立ち上げから1年強が経過した「やわデザ」は、メンバー数が二千人を超える規模に成長していました。そこで、組織横断型オンライン・コミュニティの影響を検証するため、参加メンバーを対象としたアンケートを行いました。

まずは回答結果の全体的な傾向を示すため、「やわデザ」運営メンバーが分析結果をまとめた図をご紹介しましょう。

ここから見て取れるのは、「やわデザ」が多くの社員に好影響を与えていること。「元気になった」「安心感が得られた」といった精神面での影響に加えて、普段は接点のないほかのグループ会社や他部門からの情報を得られることで、視野の広がりや行動変容にもつながっています。

さらに、チャットを通じて参加メンバーに質問して、スピーディーに回答を得るなど、具体的

「やわデザ」に参加したことによる
考え方や行動の変化、仕事に良い影響を与えた出来事は？

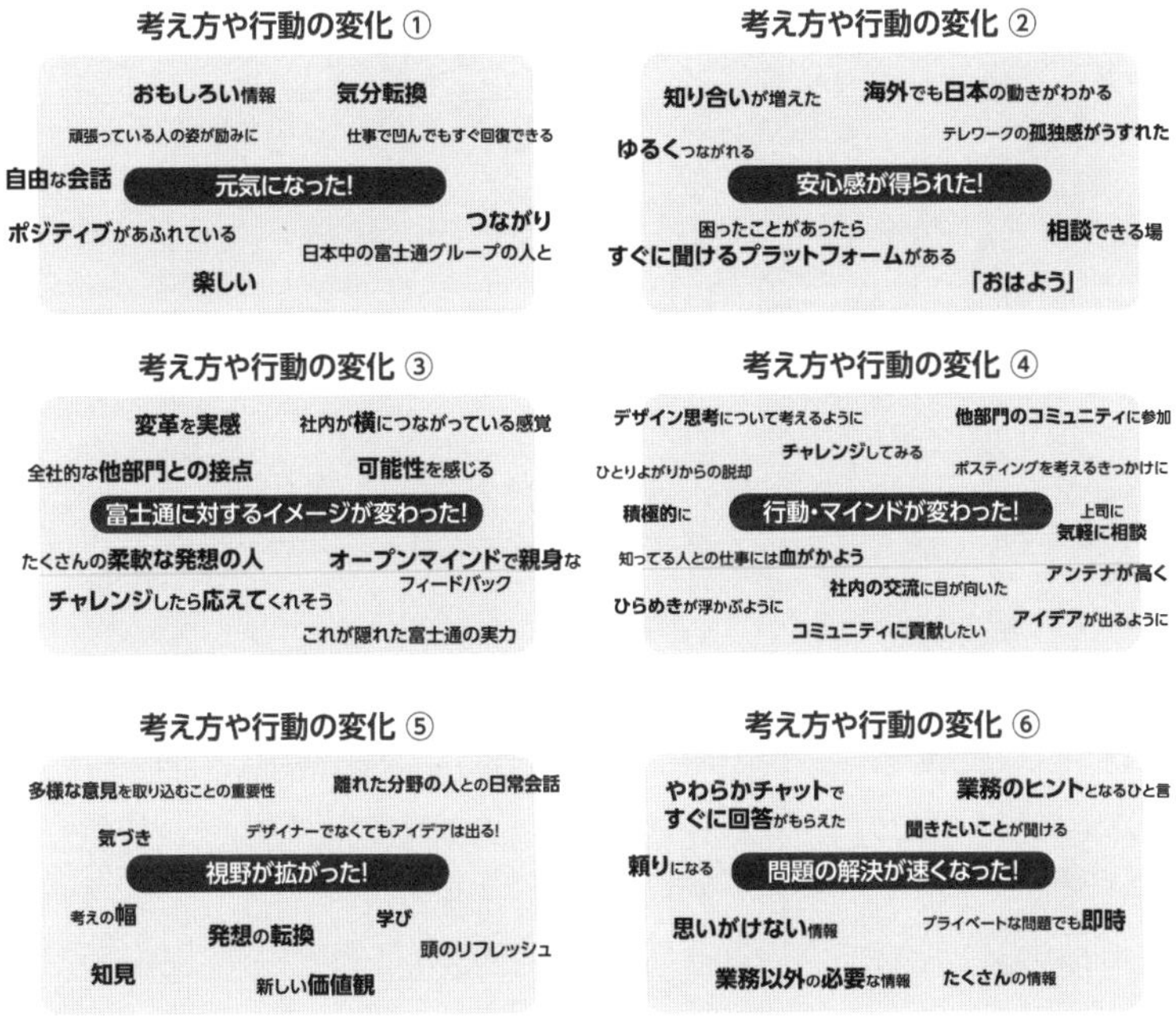

2021年秋に実施したアンケートの分析結果（回答者数：109名）

な課題解決につなげているケースも見られます。

回答に寄せられたコメントには、「もっと多くの社員に知ってもらいたい」という声も多く、「やわデザ」を共通言語にして、より多くの社員間で対話したい、連携したい、共創したいという意識が広がっているようです。

社内での孤立を防ぐ一体感づくり

「やわデザ」メンバーの声❶

出産・育児休職から復帰したのがコロナ禍のタイミングで、自宅でのテレワークが中心になり、今も継続しています。

かつては職場に行けばみんながいて、気軽に話せるのが当たり前の環境でしたが、組織変革の影響もあって、復職前とは周囲の状況が一変。課内に知り合いはいるものの、みんな忙しく、気軽に雑談などできない状況でした。

そんな中、一人ではないと思わせてくれた場が「やわらかチャット」でした。雑談を通じていろいろな部署の取り組みや、多様な考え方を知ることができ、自分の発言にも誰かが反応してくれる。「やわらかチャット」がなかったら、今、仕事を続けられている自信がありません。この場をつくっていただき感謝しています。ありがとうございます。

職場での孤立感は、周囲との連携不足やモチベーション低下を招き、業務に支障が出るだけでなく、知らず知らずのうちに社員のメンタルをむしばみ、メンバーの声にもあるように、最後には離職を招く恐れもあります。優秀な人材を採用し育成するための時間やコストを考えれば、放置しておける問題ではありません。

職場での孤立に対する課題意識が高まったのは、テレワークの普及に伴い、オフィスでの対面によるコミュニケーションが減少し、自宅で働く時間が増えたことが大きな理由でしょうが、決してテレワーク環境のみで生じうる問題ではありません。

「やわデザ」のような組織横断型オンライン・コミュニティの存在は、テレワーク環境下はもちろん、対面での雑談が難しい職場でも、社員間のつながりを容易にし、職場の一体感だけでなく企業に対するエンゲージメントを育む効果も期待できます。

社内人脈を広げてスムーズな組織間連携

「やわデザ」メンバーの声❷

グループ会社から富士通本体に合流しましたが、右も左も分からないままテレワークで、心細く感じていたところ、「やわデザ」の存在を教えていただきました。そこから横のつながりができ、モノクロの世界にカラーが広がるような感覚が得られました。「やわデザ」を通じて、各部署の情報が流れてくるので、全社の動きが把握できるようになりました。また、投稿されている方の人間性も垣間見え、「いつかお会いしたいな、お仕事で関われたら良いな」と思っていたところ、本業で連携する機会があり、「あの○○さんですか！」と盛り上がったことも。事前にオンライン上でゆるやかなつながりができていると、他部門との連携もスムーズに進むことを実感できました。「やわデザ」のようなフランクな仕組みがもっと広がれば、心理的安全性も高まり、オンライン、対面を問わず、仕事がしやすくなるのではと期待しています。

富士通に限らず、ある程度の規模の企業であれば、社内の全員が顔見知りという関係性は望めません。さらに、様々なITツールやサービスの普及によって高度に分業化が進行した結果、お互いを知らない社員同士が、顔が見えない関係のままコミュニケーションする機会が増えました。同じ企業に属していて、気心が知れているのは同じ部署の、それも一部の社員のみで、他部署の社員とは口をきいたこともないという状況では、自然と担当分野以外に興味や意識が向かなくなり、問い合わせに対しても事務的な態度で接するなど、縦割り組織につながりかねません。

社内SNSのメリットは、こうした組織の壁を容易に乗り越えられること。コミュニティ内での投稿やチャットが活発になれば、他部署からの情報もスムーズに入手でき、全社の動向を俯瞰して見ることができます。「画面の向こうにも自分と同じように悩みや課題を抱えている人がいる」と知ることができれば、人は多様性に対して寛容になれます。コミュニティ内で社内人脈を広げることで、将来のキャリア形成にもつながり、異なる部門間での業務連携もスムーズに進められるでしょう。

グチをこぼせる場の重要性

「やわデザ」メンバーの声❸

一度、定年退職した身ですが、「やわデザ」は以前の富士通ではありえなかったコミュニケーションの形であり、革命的だと感じています。

特に感動しているのは、気軽にグチをこぼせるところ。以前は飲み会などで、その場限りの発言だから許されてきた内容でも、「やわデザ」では誰かが受け止め、適切なコメントを返してもらえ、一般的なSNSとは異なり、決して炎上しません。管理者が意識的に抑えているわけでもなく、自然にそうなっている懐の深さが素晴らしいと思います。

もっと昔から、このようなコミュニケーションの場があったら、と感じている還暦過ぎ

の意見です。

仕事のグチをこぼすことはネガティブに捉えられがちですが、多くの社会人が日常的に行っていることではないでしょうか。仕事でのストレスを上手に発散することで、心の健康を保っています。

心の中でためておかず、言葉にすることで考えを整理し、解決策を導き出すことにもつながります。また、職場の仲間とグチをこぼし合うことで、「自分だけではない」との安心感が得られる場合もあれば、「みんなが困っているなら」と具体的な改善への行動につながることも期待できます。

コロナ禍以降、職場での会食や飲み会などの機会が減少する中、オンラインで気軽にグチをこぼせる環境は、富士通に限らず、どの会社にも必要なものではないでしょうか。ただし、メンバーの声にもあるように、コミュニティを健全に維持するためには、参加者一人ひとりのリテラシーが重要です。「やわデザ」が「オープンマインド」と「スマイル」を参加条件としているように、自分と異なる意見や価値観への寛容性を養うことが、オンラインに限らず、円滑なコミュニケーションの秘訣ではないでしょうか。

心理的安全性が育む積極性
「やわデザ」メンバーの声❹

社交的とか積極的とか見られがちですが、実は慎重派。「やわらかチャット」のようなSNSはちょっと苦手で、自分から投稿することはほとんどありませんでした。

それが、ほかの方の積極的な投稿やリアクションを見ているうちに、自分でも一歩踏み出して交流できるようになりました。「挨拶だけなら」「あの人の募集に協力できそう」「この情報が誰かの役に立つかも」と、少しずつ積極的な姿勢に変わってきたのです。

これは語学などと一緒で、続けていないとできなくなるもの。だんだんおっくうになるというか、以前の受動的なマインドセットに戻ってしまいかねません。でも「やわらかチャット」のみなさんからの温かなリアクションが、私に安心感をもたらすとともに、鍛えてくれていると感じています。かつての私のような「見るだけ」ユーザーをアクティブユーザーに変えていくのに、「やわらかチャット」はおススメだと思います。

社内SNSや社内横断チャットは、他人の投稿を見ているだけでも多様な情報を得ることができますが、周囲と連携したり、人脈を広げたりするためには、そこから一歩踏み込んで、自分から情報発信することが求められます。

とはいえ「自分からの発信は苦手」という人は、世代を問わず少なくありません。特に、はじめの一歩を踏み出すには勇気を必要とします。そんなときに背中を押してくれるのが、どんな投稿でも許されるというコミュニティ内のゆるい空気感です。多くの参加者が気軽に投稿し、どんな内容でも温かく受け入れられている環境があれば、それが「心理的安全性」となって投稿へのハードルを下げてくれます。

コミュニティで培われた積極性は、きっと職場でも発揮され、社員一人ひとりのマインドや行動に大きな変化を与えてくれるでしょう。

各組織の知見やノウハウを持ち寄ったスピーディーな課題解決

「やわデザ」メンバーの声❺

開発メインのグループ会社に所属しています。新たな挑戦として、開発した製品の拡販を任されましたが、社内にマーケティング経験者がおらず、手探りでいろいろ進めたものの、契約が得られず悩んでいました。

そんなとき「やわらかチャット」で不安をつぶやいたところ、様々なグループ会社や部署から多くの励ましコメントやアドバイスをいただき、大変感動しました。なかには、週末の時間を割いて提案内容を考えてくれた方や、以前に使っていた営業マニュアルを貸してくれた方もいて、富士通グループという大きな組織の一員である恩恵を感じるとともに、声を上げたら誰かが助けようとしてくれる組織風土を知ることができました。

会社は違っても、同じグループの仲間として、支えてくださる温かい方がいることに、「やわらかチャット」のおかげで気づくことができ、心から感謝しています。


企業には多くの部署があり、それぞれ異なる専門領域を担当しています。ある部署で培われた知見やノウハウが、ほかの部署でも役立つこともあるはずですが、実際に活用されるのはその部門内にとどまっているケースが多いようです。

こうした各組織に埋もれている知見やノウハウを、全社の誰もが有効活用できるようにすれば、企業全体、グループ全体の競争力や価値創造力を高めてくれるでしょう。

「やわデザ」のような組織横断型オンライン・コミュニティは、組織の壁はもちろん、上下の壁、さらには地域や国境をも越えて、「助けを求める人」と「解決策を持つ人」をスピーディーに結びつけます。

チャレンジを後押しし合う風土

「やわデザ」に参加して一番変わった点は、読書量が増えたこと。お勧め本などの投稿に影響されて、あまり興味のなかった読書の楽しさや価値に気づくことができました。

「やわデザ」メンバーの声❻

「やわデザ」をきっかけに、富士通内での自分の価値や、富士通外に出ても自分の価値が通用するかを考えるようになりました。「やわデザ」で情報を発信されている方々の考え方や情報量に刺激され、みなさんを理想像にして、自分の価値を高めていきたいと思っています。

「やわデザ」メンバーの声❼

様々なグループ会社、部署の方の投稿を見ることが、「今の業務以外でも何かができる」と考えるきっかけになり、実際に社内ポスティング制度を利用して異動しました。「やわデザ」の活動を通じて「ほかの部署にもおもしろい人が多い」という実感を得ていたので、ポスティング応募への心のハードルが低く、思い切りよく異動できたと思います。

「やわデザ」メンバーの声❽

リスキリングやポスティングなど、社員の学びやキャリアアップを後押しする企業が増えていますが、単に制度を用意するだけでは期待するほどの成果は得られません。重要なのは、社員一人ひとりに成長への意欲、チャレンジするマインドを育むこと。

それらは内発的なものと思われがちですが、成長意欲のある他者との交流も効果的です。頑張っている人や、頑張った成果を活かして活躍している人が常に周囲にいれば、「よし、自分も」というモチベーションにつながりやすいもの。そうして頑張る社員が増えることで、組織全体に成長への意欲が浸透するという好循環が期待できます。

構成メンバーの同質性が高く、従来通りの仕事ばかりの職場にとどまっていると、こうした刺激を得る機会は少ないのではないでしょうか。組織横断型オンライン・コミュニティがあれば、そこで積極的に発言している人が格好のロールモデルとなって、多くの社員や周囲に刺激を与え、成長への意欲を後押ししてくれるでしょう。

社内で埋もれがちなアイデアを発掘

「やわデザ」メンバーの声❾

先日、Teams上の新機能を開発し「やわらかチャット」に投稿したところ、CDXO兼CIOの福田さんの目に留まり、その機能を扱う開発部門につないでいただきました。

その部門の会議に呼ばれて、詳細を説明したところ、かなりポジティブな意見が出て、全社展開へと発展する可能性も出てきました。

一社員のアイデアを経営陣が拾って全社展開というのは、ほかの企業にはない文化だと思います。自分という存在が役員に届いていると実感するだけでも、企業に対するエンゲージメントやモチベーションは爆上がりすることを実感しました。


どんなに優れたアイデアでも、視野が狭く、忙しい上司の目にとまらなかったり、所属部署とは直接関わりがなかったりとの理由から、埋もれてしまうことが少なくないようです。

これは企業にとって、新製品や新サービス、新機能を世に出すチャンスを失うというだけではありません。発案した社員はもちろん、その周囲の社員も含めてモチベーションを低下させ、「提案しても仕方がない」との空気をまん延させかねないリスクをはらんでいます。

「やわデザ」のような組織横断型オンライン・コミュニティがあれば、所属部署では日の目を見なかったアイデアが、思わぬ形で有効活用されることも期待できます。もちろん、それも全社的なコラボレーションカルチャーがあってこそ。社員一人ひとりのチャレンジを応援し合い、新たな取り組みに対して寛容なカルチャーが育まれれば、たとえ実際のビジネスにはつながらなくとも、社員の積極性を引き出し、次なるアイデアの呼び水となるでしょう。

第6章

「やわデザ」メンバーが座談会で語る組織横断型オンライン・コミュニティが与えてくれたもの

前章では、「やわデザ」コミュニティへの参加を通じて、富士通グループの社員や所属組織にどのような変化が生じたかについてメンバーの声を紹介しました。

そうした変化をよりリアルに共有いただくには、生の声を聞いてもらうのが一番です。そこで本章では、コミュニティを立ち上げたマサさんの司会のもと、「やわデザ」の参加メンバーや運営支援者など、7名の社員による座談会の様子をお届けします。

オンラインでの開催、しかも初めて顔を合わせるメンバー同士も含まれていましたが、座談会は終始盛り上がり、あらためて「やわデザ」参加メンバーの課題意識や、「富士通をもっと良い会社にしたい」という想いの強さを感じられる機会となりました。

【座談会参加者（五十音順）】

青山紗季（あおやま・さき）さん

運輸系顧客担当のSE（システムエンジニア）。二度の産休と育休を経て、仕事と家庭を両立させつつ、チャットグループ「やわらかグラレコ！」でも存在感を発揮。

秋山友子（あきやま・ともこ）さん

幅広い部署を経験し、現在は知財部門に所属。コミュニティ運営に関心や興味を持つメンバーが集まる「やわらかコミュニティ研究部」に参加し、様々な取り組みを提案。

足立美咲（あだち・みさき）さん
コーポレート部門経理担当。若手ながら、自部門に所属したまま他部署のプロジェクトに参加できる制度「Assign Me」を活用して活動の幅を広げている。

川口智史（かわぐち・さとし）さん
官公庁向けビジネスプロデューサー（営業職）。「やわらかチャット」を通じて集めた社員の声（顧客にとってはエンドユーザーにあたる）を提案に活かし、大型商談を受注。

久我聡子（くが・さとこ）さん
グループ内におけるYammerの活用促進を担当。「やわデザ」運営のサポート役も務め、数々のイベントを提案、運営して活性化に貢献。

高橋誠（たかはし・まこと）さん
全社DXプロジェクト「フジトラ」所属。社内

外で多くのコミュニティに参画した経験を活かして「やわデザ」を盛り上げるイベントを多数開催。

吉田明史（よしだ・あきふみ）さん
社内情報インフラ担当。Yammerでの投稿が多くの社員の共感を集め、一躍、富士通グループ内の「時の人」に。

コロナ禍で先の見えなかった社会人生活に「やわデザ」が光をもたらしてくれた（足立さん）

マサさん　今日は富士通グループ内のいろんな会社や部署から「やわデザ」参加メンバーに集まってもらいました。私自身はコミュニティづくりに関わっている立場上、みなさんの投稿などを通じて、それぞれの取り組みや成果を、ある程度は把握していますが、お互いのことを知らない人もいると思うので、参加メンバーに一人ずつ「やわデザ」で起こったことを紹介してもらえればと思います。まずは足立さんからお願いします。

足立さん　はい。私が「やわデザ」に興味を持ったのは、コロナ禍のために得られなかった社内でのつながりを求めていたからです。緊急事態宣言下で入社したので、はじめからテレワークが基本で、上司やトレーナー、同じ部署の先輩や同期とも顔を合わせる機会もないまま働く日々が続いていて、仕事や職場に対する疑問や不安を誰とも共有できないモヤモヤを抱えていました。

秋山さん　社会人のスタートがコロナ禍で、いきなりテレワークばかりというのは気の毒よね。足立さんに限らず、この世代の新入社員は大変だったと思う。

足立さん　オンラインでの仕事上の会話だけだと、なかなか相手の人となりがつかめないので、気軽に頼れる縦や横、斜めのつながりもつくれず、一人自宅でもがいていました。そんなときに「やわデザ」の存在を知り、ここなら社内のつながりをつくれると期待して、オンラインイベントに参加してみました。

マサさん　「やわデザ」では、デザイン思考を富士通グループに広めるという目的に加えて、コロナ禍で失われかけていた対話文化や、組織の枠を越えた社員同士のつながりを支えることも重視していたので、足立さんのような気持ちで参加してもらえると、その意義を再認識できますね。

足立さん　そのイベントで出会えたのが、数か月後には定年退職されるベテランの女性社員でした。思い切って「いずれ海外でも活躍したいと思っているが、ロールモデルとなる先輩を見つけられず、キャリアイメージを持てずにいる」と悩みを打ち明けたところ、後日、その方からメールがあり、海外と接点のある先輩方を紹介いただけました。そうしてご縁のできた先輩方から、海外での仕事について、良いことも悪いことも含めて話していただけ、女性でも海外で活躍できると勇気をもらえるとともに、今の自分に足りないことにも気づけました。

吉田さん そんなことがあるんですね！ すごくいい話。

足立さん そうした先輩方との出会いをきっかけに、富士通には私が知らなかっただけで、いろんな経験をしている方々がいるんだと気づき、もっと自分から積極的につながりを求めようと、自ら手を挙げて、全社DXプロジェクト「フジトラ」をはじめとする組織変革プロジェクトに挑戦したり、「Assign Me」を利用して社内副業を始めました。そこでの出会いを通じていろんな価値観を知り、少しは視野も広がってきたと思います。

マサさん 「やわデザ」が社員同士をつなげるだけでなく、マインドや行動を変えるきっかけにもなっているというのは、すごく嬉しいですね。

足立さん もちろん入社当初のように悩んでしまうこともありますが、そんなときに気軽に相談できる人たちにも出会えました。あのとき、「やわデザ」に飛び込んでみてよかったと思っていますし、今後は私が誰かの道を照らせるような人になりたいですね。

「やわデザ」でのつながりをビジネス現場の提案に活かす（川口さん）

マサさん 川口さんは、「やわデザ」でのつながりを、実際のビジネスに活かした先駆者的な存在で、富士通のオウンドメディア「フジトラニュース」でも記事になっていましたね。

川口さん　劇場を運営しているお客様向けにネットワーク環境をリプレースする商談で、他社との差別化が難しく、どうしても価格勝負になりがちな案件でした。初めて提案するお客様なので、富士通らしさをアピールしたい面もあり、「ＩＴ企業からＤＸ企業への変革」を掲げているわけですから、ＩＴだけでない新しい価値を提案したいと考えていました。

マサさん　もともと仕様が決まっていて、提案の余地があまりなかったんだけど、お客様の身になって何かできないかと考えたわけですね。

川口さん　商談獲得に向けて決まったことを粛々と進める、乱暴に言えば「おもしろくない商談」も多いんですよ（笑）。でも、自分次第でおもしろくすることもできるはず。そこで、富士通グループ内で活用が広がっていた「VOICE（ボイス）プログラム」に注目して、社内で市場調査をしてみようと考えたんです。

高橋さん　VOICEとは、富士通がＤＸの一環として導入した、お客様や富士通社員の「声」を集めて解析して、変革を促す仕組みです。これをアンケート調査に利用したわけですね。

川口さん　富士通には多くの社員がいて、芸術に関心のある人もたくさんいる。その声を集めれば、ユーザー目線を踏まえた提案ができると考え、「コロナ禍で、芸術にどう触れているか」を質問するアンケートを作って回答を募りました。ところが、最初は期待したほどには回答が集まらなくて、どうしようかと（笑）。そこで「やわらかチャット」に投稿したところ、これまでが嘘かのように、一気に回答が集まったんです。その回答をもとにコンセプトを練り上げた結果、お客様から「今までになかった提案だ」と喜んでいただけ、受注につながりました。

秋山さん　それ以前から、「やわデザ」内で積極的に投稿して、人脈を広げていたんですか？

川口さん　決してそうではなく、みなさんの投稿を見ているだけでしたから、余計に驚きました。あらためて理由を考えてみると、職場では役職やキャリアなどに付随する周囲からの期待感が、一個人としての意見や想いを発言することへのストッパーになっ

川口さんが集めた「100人の声」を詰め込んだ提案書

ている面があるのかもしれない。「やわデザ」だとポジションに関係なく自由に対話できる空気があって、それが多くのコメントにつながったのかなと思っています。

久我さん　足立さんのエピソードでも思いましたが、富士通には「困っている人がいれば手を差し伸べたい」と思っている人が多いと思います。仕事上では組織の壁があってなかなか発揮できないその気持ちが、「やわデザ」のようなコミュニティだと発揮しやすいんですよね。

マサさん　加えるなら「会社の役に立ちたい」「富士通を良くしたい」という気持ちを持っている人も多いと感じています。「やわデザ」がそんな気持ちを結集し、発揮できる場になっているのなら、嬉しいですね。

川口さん　今回の事例を参考に、同様の提案に取り組むビジネスプロデューサーも増えています。「やわデザ」に限らず、初めてコミュニティに投稿する際には勇気がいるものですが、こうして協力してくれる人たちの存在が心理的安全性の向上につながると思います。

一社員として忖度のない発言が許される組織に変わったことを実感（吉田さん）

マサさん　吉田さんは「やわらかチャット」上では有名人なので、ご存じの人も多いと思いますが、あらためてYammerの投稿がバズった経緯を話していただけますか。

吉田さん　僕は社内インフラに関する業務を担当していて、過去には運用や保守も担当していました。近年、クラウド時代になって重要性も業務負担も増しているにも関わらず、ほかの部署からは地味な「ルーチンワーク（定型業務）」と見られがちです。このままだと、モチベーションが低下し、新たにやりたがる人もなく、人材不足でさらに苦しくなるという負の連鎖が危惧されています。「それってどうなんだろう」という想いを自部門のYammerコミュニティに投げかけたところ、自部門にとどまらず、富士通グループ全社から予想外の反響を呼び、自分でも戸惑っています。

青山さん　私も吉田さんの投稿を拝見して、SEでも同じことが言えると感じました。

吉田さん　そうしたコメントもいただいて、これは運用や保守だけの問題じゃないんだと感じて、目からウロコでした。投稿する際は「炎上してもいいや」というくらいの気持ちでしたが、おかげで部門を問わず、三万人以上の目に触れ、最終的には九百近くの「いいね」がついて、社内SNSの拡散力を実感しました。

マサさん　CDXO兼CIOの福田さんから長文のコメントがあったのも、反響に拍車をかけましたね。

吉田さん　福田さんのコメントは、経営層が一社員の発言をしっかり見て、反応してくれるという意味で、すごくありがたかったです。さらに、福田さんの推薦で時田社長と会う機会までつくっていただけ、基本的にはコミュ障の陰キャなので、生まれたての羊のように震えていました（笑）。

川口さん　時田社長からはどんな言葉をいただいたんですか。

吉田さん　「あの投稿が評判となっていることで、富士通が変わってきたことが実感できた」と。確かに、以前の富士通だったら上司から小言を言われていたかもしれません（笑）。「やわデザ」などYammerコミュニティの活用が活発になってきたことで、部署や立場に関係なく、一社員としての自由な発言が許される空気感が広がり、自分の課題意識に共感してくれる人がいるという安心感があります。それが投稿を

Global・Digital Systems Platform Unit に投稿がありました
Akifumi YOSHIDA
2022年6月17日
25 件の共有 • 37,476 人が表示しました

はじめに、私自身、長く社内インフラに関わってきたため、社内インフラをひいき目に見ている点があるとは思っています。

今の富士通での取り組み「適材適所」、「ポスティング」、「自分が挑戦したい仕事に手を上げて移動する」、これらは、今までもありましたが、さらにやりやすくなり、とても素晴らしい取り組みだと思います。
このような場合、例えば「DX推進」、「○○の新規企画」、「富士通の企業風土を変える」など、キラキラした明るい仕事がクローズアップされると思います。
一方で、光が強いと影も濃くなるように、一見地味に見える「展開」、「保守」、「運用」などは「簡単だと思われる」、「定型業務（ルーティンワーク）」、「精神的にも肉体的にもきつい」などのイメージがあり、やりたがる人は減ってしまい、ポスティングなどで人材が抜け、さらに忙しくなり、モチベーションも下がるという負の連鎖が起きるのでは、と危惧しています。

途中省略

「展開」、「保守」、「運用」などの業務が、どのようにしたら魅力的で皆さんがやりたいと思える、ポスティングで来てもらえるようになるか、一緒に考えませんか？
やりがい(上層部の承認)、報酬、利用者からの感謝や承認などがキーワードになるのでは、と思っています（承認というのは、個人の承認欲求にこたえるといった意味合いです）。
地道に、ひたむきに努力した者が、正しく評価されることを期待してやみません。

乱筆乱文失礼しました。

大好き　コメント　共有
41 件の以前のコメントを表示

3万7千人が閲覧し、約900人が「いいね」した吉田さんの投稿

111

Fukuda, Yuzuru/福田 譲 2022年6月17日
吉田さん、テーマ提起、ありがとうございます。私が思うこと、そして20年以上、いわゆる「ジョブ型＆ポスティング」という仕組みを経験してきた実例をいくつか共有しますね。

- まず、職種・職務内容による扱いの違いはあるでしょうね。これは皆で是正できると良いと思います。同時に、そのような扱いになる「理由・原因」もあるのでしょう。そして、その「理由・原因」の一部は、当の職種・本人たちが自分たちで変えられる or 変えるべきことも含まれているかもしれませんね。
- 世の中には、「当たり前の毎日」を支える尊い仕事もあるわけで、そのようなことに光を当て、評価して、やりがいを感じられる風土でありたい/そうしたいものですね。
- もしそのような風土・環境になっていないのであれば、そこに向けて「変える」必要がります。ChangeDSPU!や、富士通全体でいうとフジトラは、そのような視点・テーマも含んでいるつもりです。（従って、誰かがやってくれるのではなく、全員が当事者）
- 少なくともDSPUでは、そのようなことに光を当て、フォーカスして取り組んでいきたいと思います。（まだまだですが、そうしているつもりです。DSPUのDX Visionは、まさにそういう内容ですよね）
- フェアな扱い・評価をするのに、ジョブ型人事制度＆ポスティング＆人材採用戦略の転換は適切だと思います。ある仕事にあるJob Gradeをつけ、それでも人が集まってこない場合には、「Gradeが適切ではない」あるいは「最適なタレントが社内にいない」わけで、従ってGradeを高めに変更する（＝処遇が良くなれば、やろうという人が出てくるかもしれない）、あるいはその仕事を「やりたい！」と思う人を、社内の他の部署、あるいは社外から来てもらう（ポイントは、「やりたい！」と思う人がやる、ということ）わけで、自然ですね。
- このような仕組みが「自然」に周り、定着するようになるには、一定の期間が必要です。安易に仕組みのせいにせず、自分自身に向き合い、各自がキャリアオーナーシップや自らのやりがい・パーパスの再確認、スキル開発、意識や行動の転換など、制度のようなハード面と、カルチャーや行動様式・マネジメントスタイルのようなソフト面と、同時に一定期間取り組むことが肝要です。
- 世の中、決して「キラキラ系」の仕事がしたい人ばかりではないので、人材の多様性が増し、各自が自分らしさを意識し、自分らしいスキルやキャリア・パーパスを持ってそれぞれに判断していくと、自然に多様な職種が、それぞれに「自分らしい」と思ってやる人たちで埋まっていく経験をしました（一定の期間が必要です。また、制度面だけでなくソフト面や各自の行動が鍵）。
- あえて言うと、自分らしい仕事が富士通に無いのであれば、富士通の外の方が活躍できる場があるかもしれません。似た視点で言うと、ある仕事を誰がやるか？の際に、社外の人を採用した方が、その仕事に合っているかもしれません。いずれにせよ、「やりたいわけではないのにその仕事をやっている」という人は、本人にも不幸ですし、パフォーマンスも出ないので市場での競争力が低下し、会社全体が悪循環に陥ります。（そういう会社、結構増えてきましたよね。10年前には絶頂だった会社が、今やだいぶ変わったな、というところ。富士通を含めて、どの会社にもそのリスクがあり、いま富士通が変えている方向性は、市場で見ると極めてオーソドックスな、ある意味「自然な作用を会社と人に取り込む」施策だと思います）

2時間くらい書けそうですが、まずは要点を。
こういうことの議論や理解、多様な視点、腹割り・腹落ち、大事ですよね。

吉田さんの投稿を受けて、福田 CDXO 兼 CIO から Yammer に寄せられた長文投稿後押ししてくれた側面もあると思います。

手を挙げ続けたことで世界がどんどん広がった（青山さん）

マサさん　青山さんは、会議やセミナーなどの内容をイラスト形式で記録する「グラレコ（グラフィックレコーディング）」に興味を持つ方のコミュニティ「やわらかグラレコ!」チャットグループで活躍されていますが、そこでのエピソードを紹介していただけますか。

青山さん　もともとは社内のママ友の誘いで、社内のグラレコ講座に参加したのがきっかけです。そのときはおもしろそうとは思ったものの、「デザイナーでもない私には無理だ」と行動には移せませんでした。その後、「やわらかグラレコ!」に参加してみたら、メンバーそれぞれが描いたグラレコに対するリアクションも温かで、「自分も描いてみよう、投稿してみよう」という気持ちにさせてくれたんです。

高橋さん　川口さんも言っていたように、コミュニティ内に心理的安全性を与える雰囲気があるかが重要ですね。

青山さん　見るだけの人から投稿する人まで様々ですが、「絵がうまくなくてもできるグラレコ」という合言葉が、投稿へのハードルを下げてくれていると思います。そんな空気に後押しされて、思い切って投稿したところ、ほかのメンバーから「いいね」と言っていただけ、大げさでなく「世界が変わった」という気持ちでした。

足立さん　私も青山さんのグラレコを拝見したことがありますが、イラストはもちろん、枠線などにもこだわって、その場の世界観をうまく表現されていて、すごく好きです！

青山さん　言葉のギフトをありがとうございます！　褒めて伸びるタイプなので、みなさんからの温かいコメントから自信をもらえ、どんどん投稿していたところ、予想外の化学変化が起こりました。海外グループ会社の方から「イベントにグラレコで参加してほしい」とのコメントをいただき、フジトラのステートメントにある「ともかくやってみよう」に触発されて飛び込んでみました。

久我さん　「やわらかグラレコ！」は、スキルに関係なく、チャレンジできる機会になっているのを感じます。グラレコに限らず、何ごとも「はじめの一歩」を踏み出すことが大変ですが、その一歩を後押しできるコミュニティでありたいですね。

青山さん　この海外イベントを機に、あちこちからお声がけいただき、本業以外でも活動の場を得ることができました。部署にもよるでしょうが、仕事で頑張っていても、自分を褒める機会は意外と少ないですよね。自分の描いたグラレコに予想外の評価をいただけたことで、自己肯定感を高めることができ、入社してからの15年で味わったことのない充実感が得られ、「富士通で働いていてよかった！」と心から思えました。

本座談会の様子を青山さんがグラレコで表現

部門の枠を越えて貢献する社員に光を当てたかった（秋山さん）

マサさん　秋山さんは、「やわデザ」初期から多くのイベントに参加していて、「やわらかセッション」のガイド役などでも活躍されています。なかでも印象に残っているのが、「やわデザ」の取り組みをまとめた論文を書いて、富士通グループの論文コンベンション「Fujitsu Convention 2022」にエントリーしたことです。

秋山さん　ほかのメンバーと一緒に論文に取り組んでわかったのは、「やわデザ」はたまたまうまくいったものではなく、事前にたくさん勉強して、しっかりロジックを組み立てた上でやっているということ。論文を書きながら「根拠が欲しい」と言ったら、マサさんがすぐに「こんな本や研究結果があるよ」と紹介してくれました。デザイナーというと感性やひらめきが大切という先入観がありましたが、実際はすごく勉強している。頭ではわかっていたつもりでしたが、実際に見て腹落ちしたのが、私にとって大きな学びでした。

川口さん　なぜ論文を書かれたのですか？

秋山さん　「やわデザ」のような、草の根的な組織横断活動を、公式な場で評価してもらいたかったから。私自身、担当業務だけでなく、社内での実験的な取り組みに参加する機会が多かったんですが、そこで頑張っている人たちがなかなか評価されなかった過去を見てきたので、そこに一石を投じられれば、という気持ちもありました。

吉田さん　同感です。グループ全体だけでなく、部署内でも縦割り感があって、その間を拾っている人が評価されない。見えにくいところで組織を支えている、いわば「縁の下の力持ち」が、もっと報われる会社であってほしいと思います。

秋山さん　富士通のような会社だと、社内各部署にいろんな専門家がいるので、自部署でわからなかったことが、他部署に聞けばすぐに解決することが少なくないですよね。こうした部門をまたいだ協力関係は、間違いなく会社全体のパフォーマンス向上につながるはずだけど、部門最適の視点に立ってしまうと、自部門の成果に貢献しない活動は、なかなか評価されない。いわば社員を評価するモノサシが一つしかなく、その

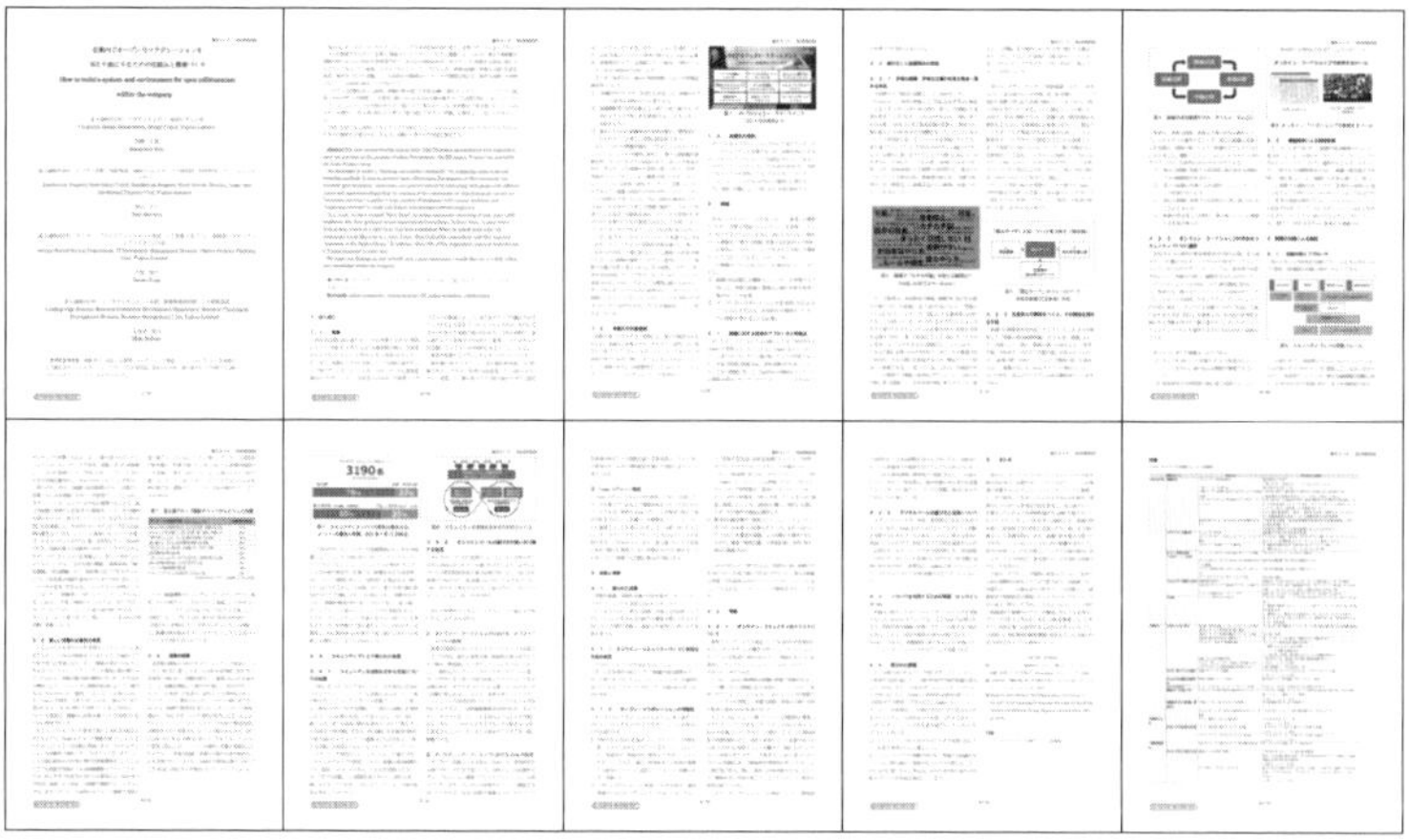

「Fujitsu Convention 2022」で「優秀論文」に選ばれた論文

モノサシで測れない努力や成果は評価に反映されないことにモヤモヤしていたんです。

青山さん　確かに、所属する部門外での活動は評価されにくいですよね。でも、私は「やわデザ」のおかげで部門の壁を越える体験ができて、そこから世界が変わったと感じています。より多様な仲間と語り合えるのは、単純に心地よく、精神衛生上にも良いことだと思うので、その魅力を知らないのはもったいないと思います。

「やわデザ」の空気感が富士通グループ内に広がりつつあるのを感じる（久我さん）

久我さん　あの論文には私も共同執筆者として関わりましたが、秋山さんの意見にはすごく共感します。私が「やわデザ」に関わるようになったのも、当時の所属部署が、どちらかといえば依頼を受けて仕事をするという役割で、大きな声では言えませんが「ほかの人でなく、自分にあえてその仕事が回ってくる意味がわからない」と感じていたからです。その点、「やわデザ」では、自分がやりたいテーマで、自由に活動できるので、「ここなら自分らしさを発揮できるかも」と思ったんです。

マサさん　久我さんに声をかけたのは、「やわデザ」の立ち上げ当初から協力してくれたデザインセンター内のメンバーが組織変更でバラバラになり、運営メンバーが手薄になったからでした。コミュニティづくりに興味のあるデザイナーはなかなかいなくて、「こういう人が欲しい」という定義も難しいので、社外から採用するにも時間がかかる。そこで、「やわデザ」にも積極的に参加していて、Yammer推進者でもある久我さんに「一緒に仕事したい」と相談しました。

久我さん　はじめは「デザイナーのスキルがない私で大丈夫なの？」との不安もありましたが、自分を必要としてくれる方と一緒にやりたいという思いで引き受けました。

秋山さん　久我さんには論文だけでなく、いろんな場面で助けられています。私の発言がすべっても拾ってくれたり、初めてコミュニティに参加して腰が引けている人がいればフォローしてくれたり、「久我さんがいてくれると助かる！」という感じ（笑）。

久我さん　あまり所属部署内で評価される機会がなかったので、組織以外の方から評価してもらえたことで、周囲の見る目も変わってきました。それは私の意識が変わっただけでなく、社内の空気感も少しずつ変わってきたからだと思います。以前は「やわデザ」のような組織横断的な活動は、富士通の中でも一部の前向きな人たちだけの取り組みでしたが、「フジトラ」をはじめ組織の壁を取り払う取り組みが進む中で、それまで興味や関心を持っていなかった人たちにも浸透しつつあると感じています。

マサさん　「やわデザ」での経験を、自分の部署に持ち帰って、そこで展開する人が増えてきています。若い社員の中には社内ユーチューバー的なユニークな活動をする人も出てきて、富士通の空気感が変わっているのを感じますね。

コミュニティ活動を成功させる大前提は本業優先（高橋さん）

マサさん 高橋さんには、「やわデザ」の立ち上げ以前から、いろんなイベントでご一緒させてもらっています。富士通グループ内はもちろん、社外でのコミュニティ活動の経験や人脈が豊富なので、それらを「やわデザ」に活かしてもらえればという期待感がありました。

高橋さん はじめは試行錯誤で、「やわデザ」を活性化するにはどうすればいいか、「やわらか企画会議」でアイデアを出し合いましたよね。やりたいことがある人は自由に発案でき、そこに参加したい人、サポートしたい人がメールアドレスを投稿して、名乗りを上げるカタチで、いろんなイベントを実現させていきました。

久我さん 高橋さんならではのイベントが、社外の方を講師に迎えての「やわらか体験企画」シリーズ。「食べる瞑想」や「アートを通してバイアスを外す」など、ユニークなテーマで開催されたもので、私も参加して多くの気づきを得られました。

高橋さん ただ講師の話を聞くだけではなくて、何か体験して持ち帰ってもらおうという趣旨で、いつの間にか10回を超えるシリーズになっています。これには足立さんも事務局のメンバーとして参加してもらっていて、いろいろ助けられています。

足立さん　以前から高橋さんのご活躍ぶりはYammerで拝見していましたが、一緒に活動するようになって、部署の枠を越えて生き生きと活躍されている姿を目の当たりにして、見習いたいなと思いました。ただ、いざやってみると所属部署の業務との両立が難しく、どうやって両立されているのかを聞いてみたいと思っていました。

高橋さん　僕なりのルールが四つあって、一番大事なのが「本業優先」。これは時間配分ということではなく、例えばプライベートと本業のイベントが重なったら本業を優先するという基本的なこと。やはり本業あってこそのコミュニティ活動であり、社外活動なので。

足立さん　本業をおろそかにしては意味がない

高橋さんの社外ネットワークを駆使した「やわらか体験企画」シリーズ

ので、そこは忘れないようにします！

高橋さん　二つ目は、「楽しむこと」。頑張りすぎると続かなくなるので、やはり自分が楽しむという姿勢を大切にしてほしいですね。三つ目が「優先順位をつけること」。複数のコミュニティに入っていると、全部に全部、同じパワーを注いでいては時間と気持ちが持ちません。「絶対に参加するもの」「できたら参加するもの」などあらかじめ優先度を決めておけば、気持ちが楽ですね。最後の四つ目が「周囲に頼ること」。全部自分でやろうとせずに、協力してくれるメンバーにお任せすることが大切です。

秋山さん　確かに、司会を足立さんに任せるなど高橋さんが自分でできることでも分担していますよね。それは後進を育てる意味合いもあるんですか？

高橋さん　自分で全部やってしまうと、自分にしかできなくなってしまいますからね。幸い、運営に携わりたいという人が集まってくれているので、むしろ積極的に役割を与えていくべきだと思っています。

マサさん　それは私も思っていて、久我さんとも運営者と参加者といった区別なく、コミュニティが回っていくのが理想だねと言っています。

久我さん　コミュニティに限らず、仕事全般に役立つポイントですよね。

より多くの人に参加してもらえるように情報発信に努めたい（マサさん）

マサさん みなさんの話を聞いていて、「やわデザ」の活動が、少しずつ富士通のカルチャーを変えていることが実感できました。みなさんの身近でもそうした変化は感じられますか？

川口さん 以前の富士通、特に営業部門には、大げさに言えば「鎖国」のような空気を感じていました。何か新しいことを始めようとすると、まず富士通内での前例を探しがちで、外部の情報には積極的にアクセスしない。内部に豊富なノウハウ蓄積があるからとはいえ、このままだと社会の変化に取り残されてしまうのでは、との危機感もありましたが、最近では変わってきていると感じます。

久我さん それだけ富士通が「やわらか組織」になっているということですよね。

川口さん 「やわデザ」を見ているとわかりますが、富士通内にも、外部にアンテナを広げて情報を収集したり、発信したりしている人がたくさんいます。以前は周囲への配慮から前面に出しにくかった個性、例えば好奇心とか自由な発想とかが、「やわデザ」のようなコミュニティだと遠慮なく出すことができ、その活動が広がることで実際の職場にも波及して、「鎖国」から「開国」へと変わりつつあるのかなと感じます。

マサさん 鎖国時代にも例外的に海外と交流できたのが長崎の出島。「やわデザ」が富士通における出島ではなく、全社的なものになりつつあるわけですね。

吉田さん　「鎖国」という比喩はすごく共感できて、外部だけでなく、社内の他部署に対しても閉じていると感じることがあります。例えば、社内システムに障害が生じた際の社内各部署への情報発信です。現在はかなり改善されていて、障害発生から15分以内にアナウンスされますが、かつては原因が究明できて、いつ復旧できるかのめどがついてから、ようやく発表するようなところがありました。

秋山さん　「やわらかチャット」を見ても、障害に気づいても何も情報がないので不安がっている人も少なくなかったですよね。そんなとき、吉田さんが途中経過ではあっても現状を投稿してくれて、「ちゃんと対応してくれているんだ」と安心することがありました。

青山さん　他部署や全社の動きが見えにくいというのはSEにとっても課題です。「フジトラ」がスタートした際、私はたまたま育休明けというタイミングだったので、開発現場を離れていたことに加え、全社の急激な変化に置いていかれまいと敏感になっていたこともあり、そうした変化を把握して期待感を抱けました。もし開発現場にいたら、忙しくて社内のカルチャーが変革しているのも知らずにいたかもしれません。

高橋さん　私も以前SEとして客先に常駐していましたが、確かに、担当のプロジェクトに没頭していると、他部署と接する機会がなく、例えば研究所で何を研究しているかとか、全社の動きが見えなくなりがちです。時代が変わってもなかなか変わらない課題ですね。

吉田さん　「やわデザ」などコミュニティが広がることでカルチャーが変わりつつあるのは確かですが、まだ様子見している人も多い。それは「やわデザ」がまだ少数派だから。自分たちが多数派なので、そこに安住して様子見している人を脅かして「やべぇ、自分たちも変わらないと」と脅かすくらいにならないといけない（笑）。

マサさん　「やわデザ」のような越境的な活動は、カルチャー変革に加えて、企業イメージの向上、イノベーション、人材育成に対する投資効果が大きいと思っています。さらにより多くの社員に参加してもらうためには、「個人」「組織（チーム）」「会社全体」「社会」それぞ

れの観点で取り組みや貢献を評価する制度が必要になってくるでしょう。今はまだ過渡期なので、社内報や論文、学会発表、そしてこの本も含めて、広く発信していくことが大事だと思います。みなさんもぜひ、職場や周囲に対してコミュニティの価値を積極的に発信していってください。

足立さん　私はこれまで人の縁に導かれてきたので、今度は私が縁を広げられる人になりたいと思って、「人の心を動かすきっかけになりたい」というパーパスを掲げています。みなさんが言われるような「やわデザ」の空気が広がるきっかけになっていきたいです。

マサさん　嬉しいコメントありがとうございます。今日はみなさんからの貴重なお話を聞けて、この本を読んでいただいている方々にも参考になったのではないかと思います。お忙しい中、ご協力ありがとうございました！

第7章

組織横断型オンライン・コミュニティのつくり方・育て方

本章では、自社でも「やわデザ」のようなコミュニティを立ち上げたいという方々に参考にしていただけるよう、「やわデザ」での成功や失敗の経験から導き出された、コミュニティづくりの具体的なスキルやノウハウを紹介します。

前章の座談会で紹介した、富士通の社内コンベンションに発表した論文をベースに、理論的裏付けなども含めて紹介しますので、より良いコミュニティづくりのヒントとして、ご活用いただければ幸いです。

ミッションを達成するための課題

はじめに「やわデザ」立ち上げに至る課題意識について、おさらいします。

デザインセンターのミッションは、富士通のDXビジネスと富士通自身のDXに貢献することであり、その実現には「デザイン思考の全社浸透」や「全社のカルチャー変革」が不可欠と考えていました。

これらミッションを達成するための課題として捉えていたのが次の三つでした。

- 組織の中でデザイン思考を広めるには、組織カルチャーの変革も同時に行う必要がある
- 組織横断型の変革活動などの新たな取り組みは、社員のメリットや楽しめる要素がないと広まらないし、長続きしない

・過去に行われた組織単位の変革活動は、期間限定のものが多く、その効果も限定的だった（トップダウンで企画される場合、実施したこと自体が評価されることも）

これらの課題をまとめて解決する有効な手段として注目したのが、組織横断型のオープンなオンライン・コミュニティでした。

異なる価値観や経験を持つ社員同士が、組織の壁を越えて容易につながれるコミュニティを実現できれば、交流の中で互いに多くの気づきや発見があり、ポジティブな刺激を日常的に感じられる、いわば「学習と実践のコミュニティ」となりえるはずです。

コミュニティ内で、個人や企業の課題を解決するためのコラボレーション機運が高まれば、その過程でデザイン思考に基づく発想や行動が求められ、ＤＸやオープンイノベーションも加速すると考えたのです。

多くの社員を集めるには関心テーマが重要

企業全体に影響を及ぼすような組織横断型コミュニティを実現するためには、富士通グループ内の様々な組織から、様々な立場の社員を数多く集めることが条件となります。

そこで、「やわデザ」運営チームが参考にしたのが、ＰＲの専門家として知られる本田哲也氏が著書『戦略ＰＲ　世の中を動かす新しい６つの法則』で述べている、「関心テーマのフレー

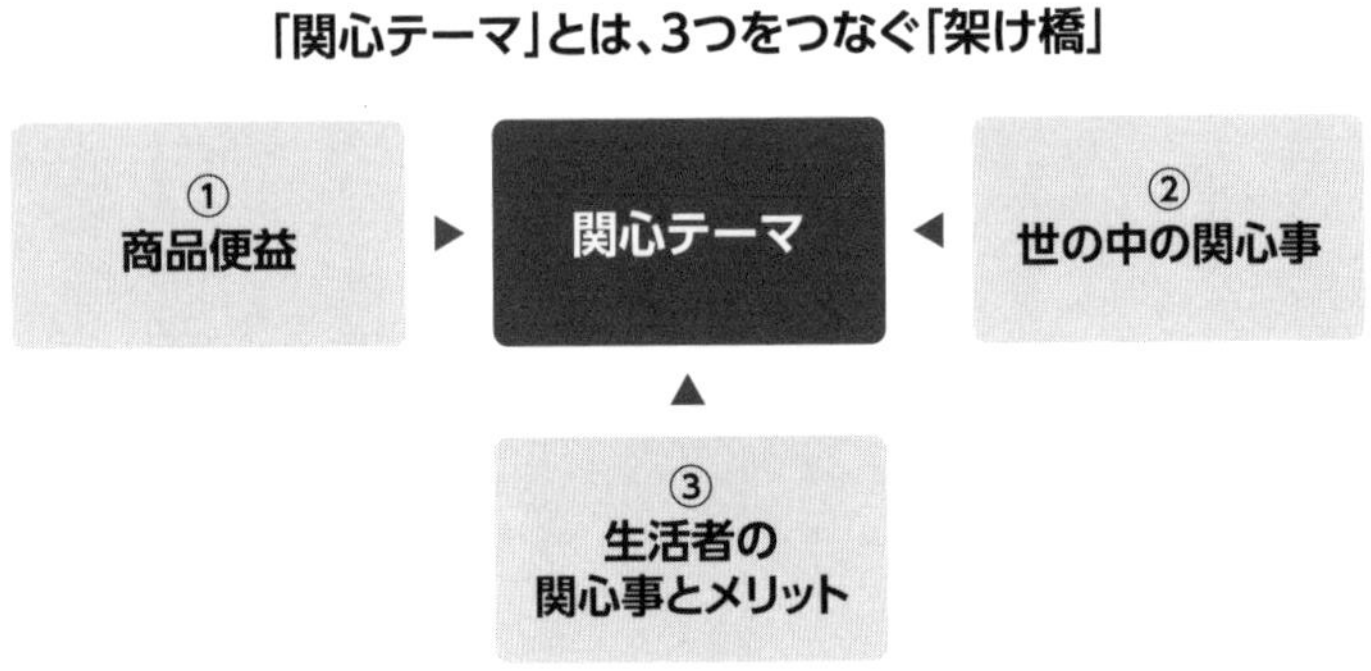

「関心テーマのフレームワーク」（本田氏の著書を参考に作成）

ムワーク」でした。

本田氏は同書において、商品やサービスに人々の関心を集めるためには、関心テーマの設定が重要と述べています。

関心テーマとは、①商品便益（商品やサービスが提供する機能、差別化ポイント）と、②世の中の関心事（世間の話題）、そして③生活者の関心事とメリット（抱えている問題、その解決法）をつなぐ架け橋となる概念であり、これら三つの要素の間を取ることがポイントになります。

「やわデザ」立ち上げメンバーは、この関心テーマをコミュニティづくりにも応用できると考えました。2020年当時、多くの富士通社員にとってDXやデザイン思考はあまり自分には関係ないことであり、いきなり関心を持つわけではありませんし、DXとデザイン思考の関係もわかっていませんでした。そこで、より多くの社員の関心を引きつける関心テーマを設定するため、前述のフレームワークを活用しました。

「①商品便益」はデザイン思考などデザインセンターが提供できる価値、「②世の中（この場合は富士通）の関心事」はDX企業への転換、「③生活者（富士通社員）の関心事とメリット」は、社内のライブ配信イベントTechLiveなどで得られた社員の潜在ニーズ、これら三つをつなげ、そこから「頭と会社をやわらかくする」という関心テーマを導き出しました。

また、本田氏は「（生活者の）潜在的関心を顕在化するには『登場感』が重要」「いかに斬新なネーミングやテーマ設定ができるかがカギ」とも述べています。これを参考に、「社員の関心事」と「参加のハードルを下げる」ことをバランス調整しながらネーミングを検討した結果、コミュニティ名を「やわらかデザイン脳になろう！明日のシゴトが楽しみになる初めの一歩」とし、あわせて強い印象を与える鮮明なピンク色をテーマカラーに採用しました。

こうしたネーミング、カラーリングによって、コミュニティに強力な「登場感」を持たせるとともに、派生する様々な取り組みやイベントを「やわらか〇〇」と命名。その様子をYammerや社内報などを使ってグループ内に発信し続け、関心テーマを広くPRしていくことで、多くの社員を集めることに成功したのです。

コミュニティ内での関係性を深めるための成功循環モデル

コミュニティ内でオープンなコラボレーションが自発的に行われるようになるには、多くの社員を集めるだけでなく、社員同士の間に顔が見える関係をつくり、深めていくことが求められます。

そこで、「やわデザ」立ち上げメンバーが参考にしたのが、元マサチューセッツ工科大学教授のダニエル・キム氏が組織の行動変容を引き起こすメソッドとして提唱する「組織の成功循環モデル」でした。

このモデルは、組織において所属メンバー間の「①関係の質」が高まれば、各メンバーの「②思考の質」も高まり、それが「③行動の質」の向上をもたらし、「④結果の質」を高めることで、「①関係の質」がさらに高まるという好循環（や悪循環）を示したものです。

このモデルを組織横断型コミュニティに適用すると、次のような循環を導けるのではないかと考えました。

- 異なる組織に所属する社員間に「顔が見える関係」ができ、信頼関係が生まれる
- 異なる組織に所属する社員間のコミュニケーションが活発に行われる
- 異なる組織に所属する社員同士の間に「助け合いの文化」が生まれる
- 組織の枠を越えた仲間と一緒に新しいことに挑戦する社員が増える

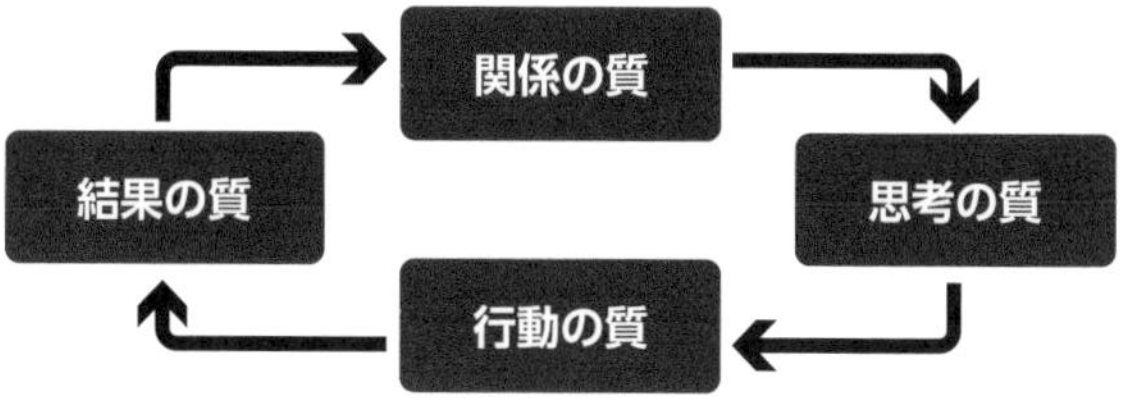

ダニエル・キム氏提唱の「組織の成功循環モデル」

・新しいことに挑戦する社員の行動が、ほかの社員の行動に好影響を与える

こうした好循環を実現するために活用したのが、コロナ禍以降のテレワーク環境下で生み出されたオンライン・ワークショップの手法でした。

「やわデザ」立ち上げメンバーは、オンライン会議ツール「Zoom」と、「Google スプレッドシート（Excel のような上下左右にセルが並んだ表計算用のワークシート）」を組み合わせた手法を発案。２０２０年の最初の緊急事態宣言直後から数か月にわたり、多様な参加メンバー、参加人数、テーマのもとで検証を重ねていました。

その中で、「カメラＯＮの状態で少人数のグループに分けて対話や雑談をすることで、顔が見える関係を構築できる」「参加者全員に同程度の発言量を促すことで、参加者の主体性を引き出すことができる」といった効果を確認。オンライン・コミュニティでも同様の効果を期待できると考えたのです。

対話型イベントを主体としたコミュニティづくり

コミュニティの立ち上げから、参加者を集め、関係性をつくり、深めていくという一連の流れの中で、具体的な活動フレームをまとめたものが次ページの図です。この中で注目してほしいのが、「対話型イベント」がコミュニティ立ち上げ後のすべてのフェーズに関係していることです。

対話型イベントとは、前項で触れたオンライン・ワークショップのように、メンバー同士が一定のテーマのもとに対話を重ねることで、互いに気づきや発見を促すことを目的としています。

「やわデザ」では、組織の成功循環モデルを意識しながら対話型イベントを中心に展開することで、異なる組織に所属する社員同士の間に顔が見える関係をつくり、その関係を深めていきました。例えば、コミュニティの立ち上げ当初は、「やわデザ」に集まった社員同士がゆるく交流する「やわらかミートアップ」を開催し、参加メンバー全員でコミュニティのありたい姿を共有。また、「やわデザ」で開催したいイベントについてアイデアを出し合う「やわらか企画会議」を開催。メンバーのやりたい企画と、それをサポートしたいメンバーを募ってチームづくりをサポート。その結果、最初の年は半年で約50回のイベントが開催されました（運営チーム企画分も含む）。

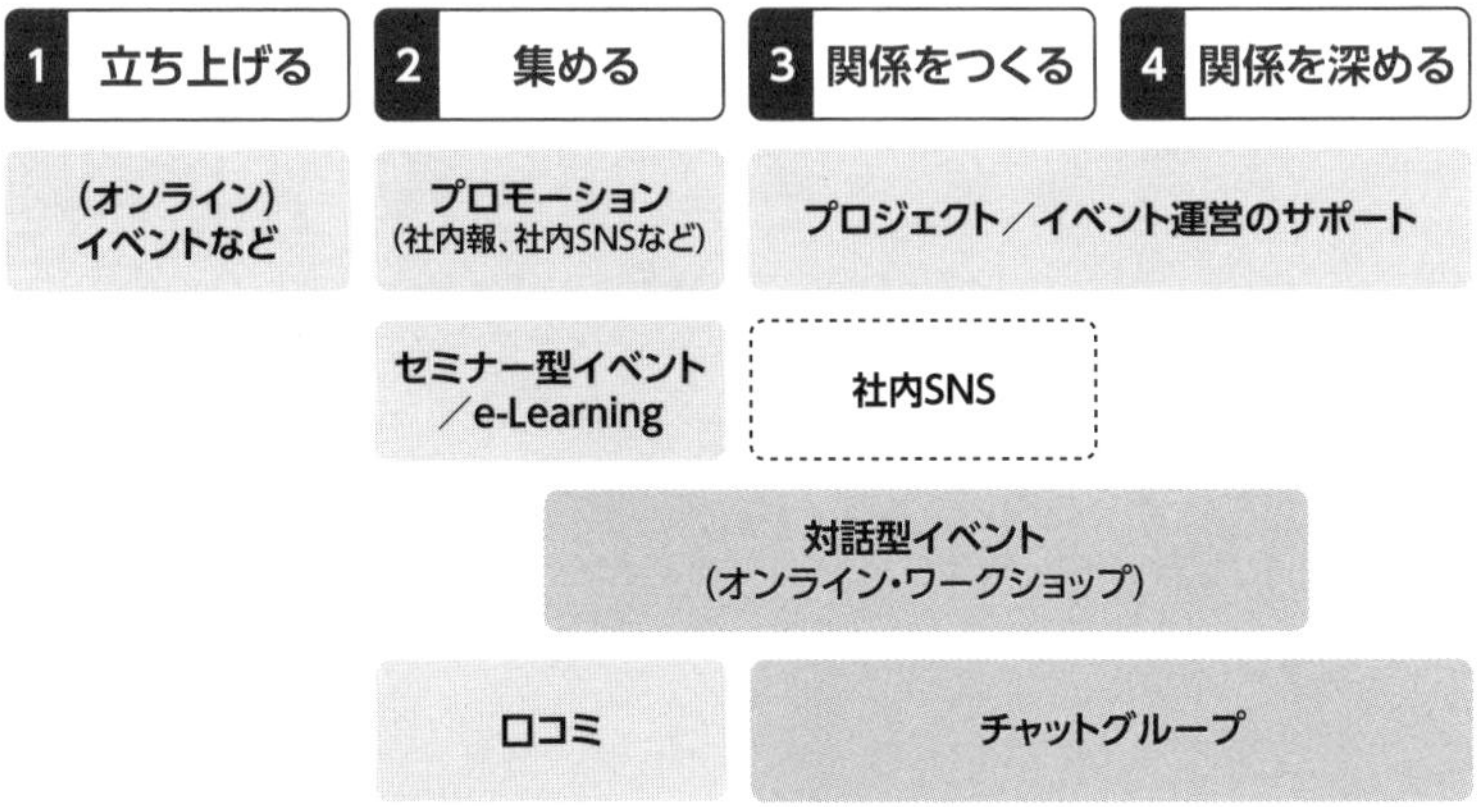

コミュニティづくりの活動フレーム

さらに、依頼者が解決したい悩みや課題を投稿し、集まったメンバーとディスカッションする「やわらかセッション」では、毎回異なるビジネステーマについてみんなで考え、依頼者の課題解決に貢献するとともに、参加者自身にとってもテーマに対する学びや気づきのある場にもなっています。

これら「対話型イベント」は、まさに立ち上げ当初に描いていた「学習と実践のコミュニティ」や、オープンなコラボレーションの一つの形です。同時に、その取り組み内容を「やわデザ」のYammerでシェアしたり、社内報に記事を投稿したりすることで、関心テーマを全社に広めるPR活動にも活かされることになります。

広げる活動と深める活動でコミュニティを活性化

「やわデザ」の活動を通じて得られた実践知の一つが、オープンなコラボレーションが日常的に生まれるオンライン・コミュニティを実現するには、「広げる活動」と「深める活動」を同時に行うことが必要だというものです。

広げる活動とは、多くの社員の関与を高めるための関心テーマの設定と、これを浸透させるためのPR活動です。PR活動には、コミュニティからの情報発信や他部門の既存の取り組みとの連携なども含まれます。

深める活動とは、オンライン・ワークショップを中心とした対話型イベントや、日常的なコミュニケーションの場となるチャットグループの活用であり、そのベースには「組織

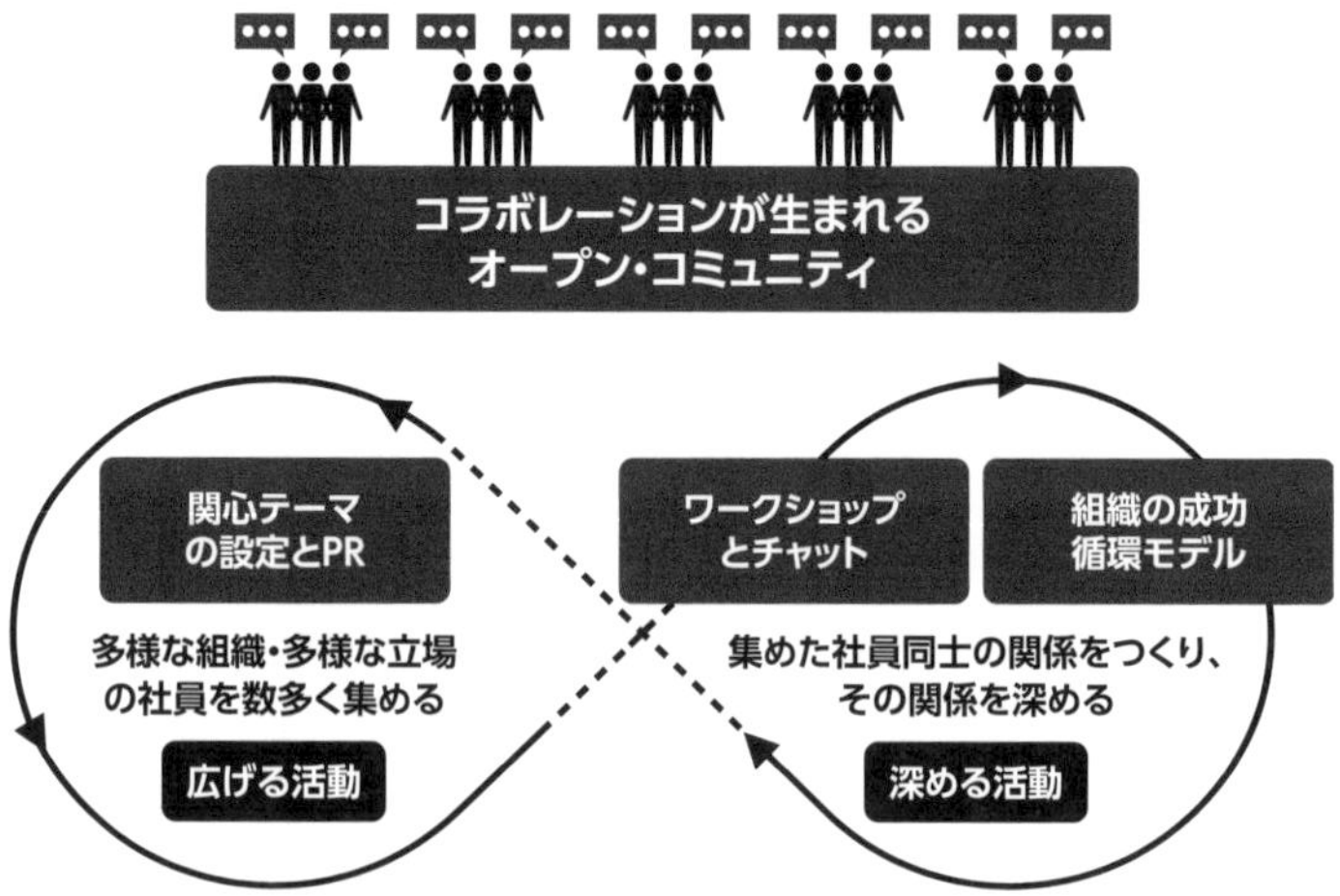

コミュニティを活性化させるためのフレーム

の成功循環モデル」があります。

重要なのは、これら二つの活動を、それぞれバラバラに行うのではなく、互いに連動させること。広げる活動への展開を考えながら深める活動を行い、深める活動の成果を広げる活動にもつなげていく。こうした積み重ねによって、より多様な社員が集まり、メンバー同士のやり取りが活発なコミュニティを育むと考えています。

オンラインツールの使い方

オンライン・コミュニティを立ち上げ、運営するにはオンラインツールの活用が必要不可欠です。近年では、安価で高機能なオンラインツールが数多く登場しており、大半の企業がすでに導入し活用していると思われます。つまり、多様な選択肢があるということです。

オンラインツールの活用で重要なのは、ツールありきではなく、目的に合ったツールを選ぶこと。DXにおいても、デジタルツール(D)ありきで考えがちだが、大切なのはトランスフォーメーション（X）と言われるように、目的ありきで考えることが重要です。

このため、必ずしもツールが想定する利用方法に従う必要はありません。実際、「やわデザ」では、本来、表計算などを行うためのツールであるスプレッドシートをホワイトボード的に活用し、プロジェクト活動において情報共有を支援するためのツールであるマイクロソフト社の

Teamsのチャット機能を、日常的な雑談用ツールとして活用しました。

「やわデザ」が実践した、特徴的なデジタルツールの選び方や使い方として、いくつか事例を紹介します。

●オンライン・ワークショップにおけるスプレッドシートの活用

「やわデザ」立ち上げメンバーがオンライン・ワークショップにおけるディスカッションで必要としていたのは、誰もが説明不要で直感的に使える、いわばオンライン版の「模造紙」と「ポストイット」でした。

一般的には、オンライン・ホワイトボードツールが使われますが、既存ツールの多くは、操作方法が特殊なためワークショップ参加者への説明が

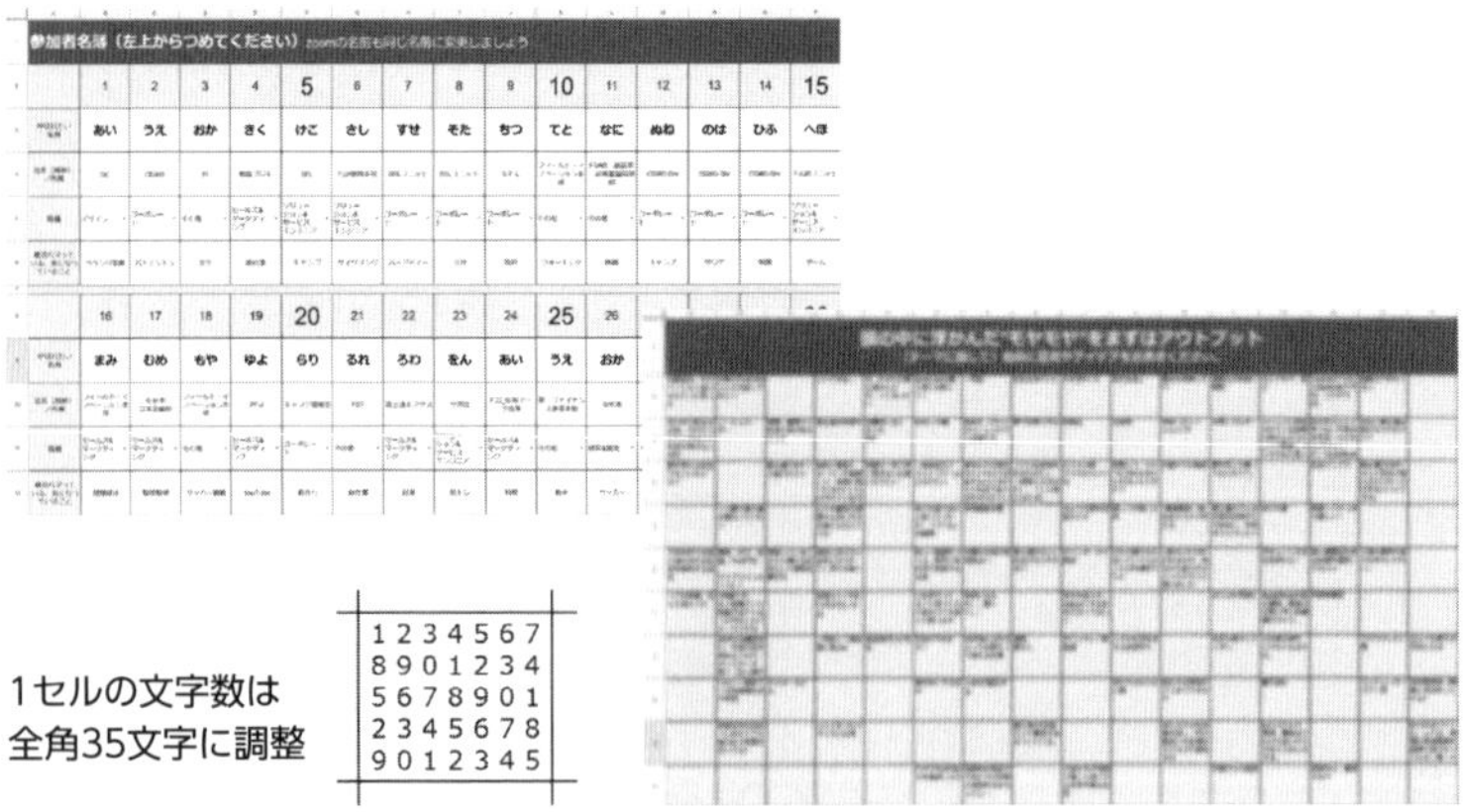

オンライン・ワークショップで使用したスプレッドシート活用例

必要となります。また、参加者はマウスとキーボードを交互に操作する必要があり、ポストイットにペンで書いてどんどんアウトプットするような、スムーズな体験は得られません。

そこで思いついたのがGoogle スプレッドシートの活用でした。スプレッドシートの同時編集機能を活用し、参加者が該当するセルに自由に書き込むことで、オンライン・ホワイトボードツールと同様のユーザー体験を、よりスムーズ、スピーディーに実現できます。また、一つのセルに入力できる文字数を35文字に設定することで、多数の意見やアイデアを一度に俯瞰でき、議論がしやすくなるように工夫しました。

さらに、このシンプルな手法であれば誰もが簡単に真似できるため、手法そのものが社内に自然と広がっていくことも期待できます。事実、Microsoft 365 の同時編集機能の活用が社内に広がるタイミングに合わせて、富士通グループではスプレッドシートと同様の機能を持つExcel が広く使われるようになりました。

●オンライン・ワークショップにおけるZoomの活用

「やわデザ」の対話型イベントでは、オンライン会議ツールとして「Zoom」を採用しました。数ある会議ツールの中でも、コミュニティづくりに必要な機能があると判断したためです。

Zoom は、参加者を少人数のグループに分けるという、当時としては先進的なグループセッション機能「ブレイクアウトルーム」を持っており、参加者全体に説明した後、4名前後のチーム単位で対話を行うようなイベントに適していました。

また、バーチャル背景やエフェクト機能も充実していたため、自宅の部屋や素顔などのプライベートな情報が映ることに抵抗を感じる参加者に対して、カメラONで参加することへの心理的抵抗を減らす効果もあったのではないかと思います。

●Teamsのチャット機能

Teams のチャットグループ機能は本来、1対1で会話したり、少人数のチームなどで情報共有をしたりするためのツールです。「やわデザ」では、Teams チャットの参加人数の上限が250名であることに着目。大規模なコミュニティづくりに適用することを考えました。

ほかの章でも述べたように、Yammer での参加者が増えるのに伴い、日常的、雑談的な投稿が避けられ、やり取りが停滞する時期がありました。そこで、より気軽に投稿が可能なチャットを併用することとなり、そのツールとして Teams を採用したのです。

社内のやり取りはメール代わりに Teams を使っている社員も増えており、Yammer に比べてメッセージに気づきやすく、「チャット」という響きがカジュアルなコミュニケーションにぴったりです。Microsoft 365 に含まれることから、富士通グループの社員であれば誰もが追加費用を支払うことなく、かつ手間をかけずに真似できるといった利便性を踏まえての選択であり、結果として多くの社員が活用する大規模チャット空間として、参加者同士の関係性を深めることに貢献しています。

ここで紹介したオンラインツールは、いずれも一般的に利用できるものばかりで、ビジネスユーザーなら誰でも容易に活用できるでしょう。企業によっては、利用不可のツールがあるかもしれませんが、最近ではどのツールも機能が充実しているので、体験価値に多少の差があっても、同様のオンライン環境を実現できるはずです。オンライン・コミュニティの目的や社員のＩＴリテラシーを踏まえながら、会社の条件に合ったツールを導入すればよいでしょう。

組織横断型オンライン・コミュニティが変革を導く二つのアプローチ

本章の最後に、「やわデザ」運営チームが考案した、組織横断型オンライン・コミュニティの活動を通じて、組織に変革をもたらすための二つのアプローチを紹介します。

一つは、より多くの社員を巻き込むための「ポジティブ変革アプローチ」です。いくら企業にとって重要な取り組みだとしても、真面目でカタい場に多くの社員を集めることは難しいものです。「やわデザ」では、「楽しそう！」「おもしろそう！」と感じられるイベントを企画す

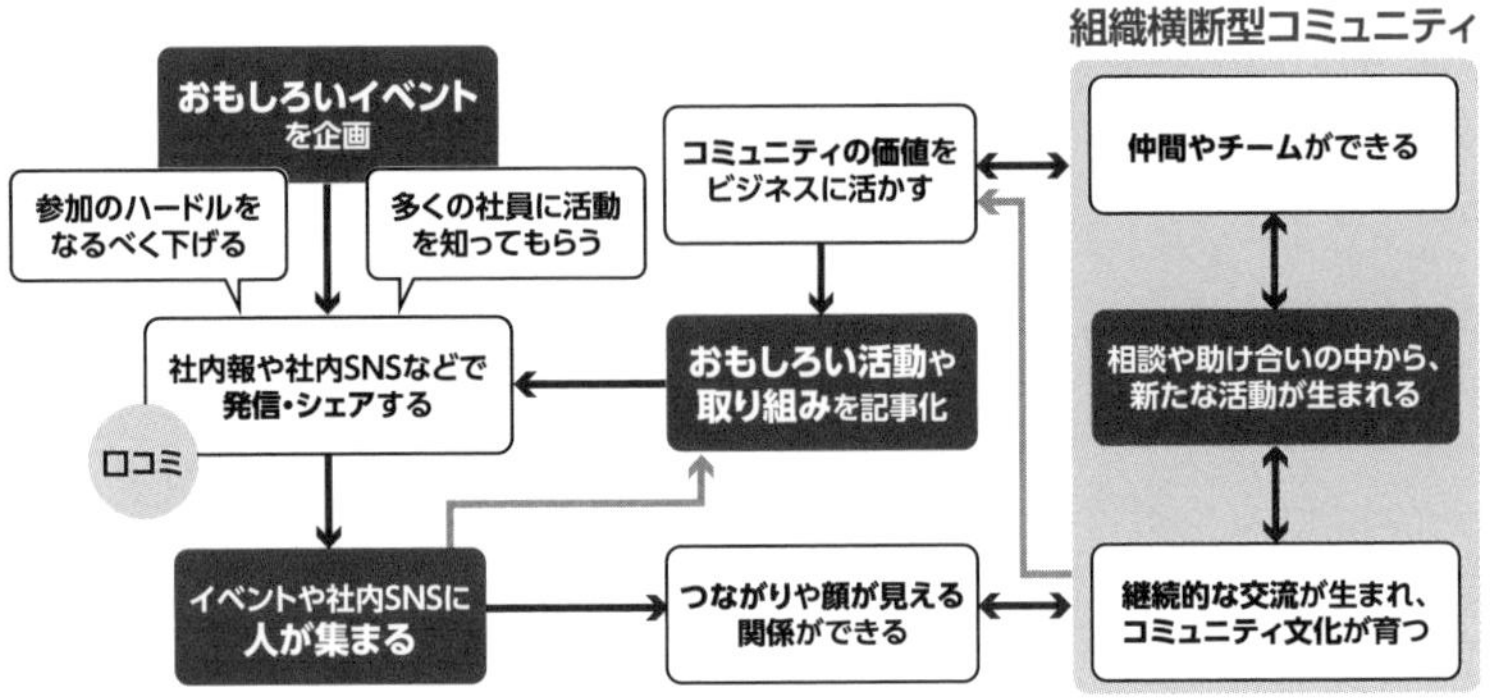

「やわデザ」の「ポジティブ変革アプローチ」

ることで参加のハードルを下げました。

そして、「やわデザ」が組織を越えて社員同士がつながる交流の場となり、新たな出会いや気づきといったおもしろさが生まれます。そうした交流の楽しさや、コミュニティから生まれた新たな取り組みや成果を、社内報などを通じて発信。より多くの社員に知ってもらうことで、コミュニティに加わる社員がさらに増え、また新たな交流が生まれるという好循環をもたらします。

オンライン・コミュニティを魅力ある場とし、その魅力を伝えることで、多くの仲間を集められるポジティブな場にしていくというアプローチと言えるでしょう。

もう一つは、コミュニティ内で生まれた交流を、実際の職場（本業）での実践につなげていく「交流型変革アプローチ」です。

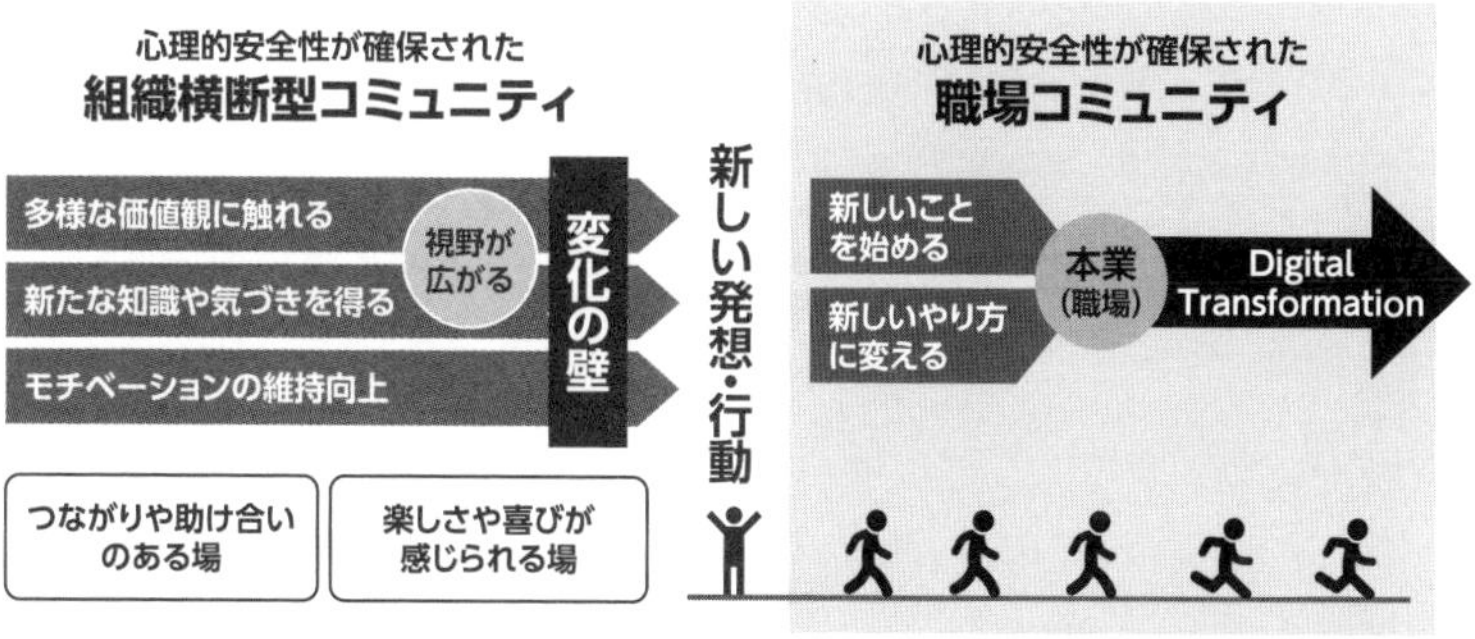

組織横断型コミュニティ内で、仲間と一緒に学びや交流を楽しむうちに、意識や行動が変化し、固定観念や常識、現状維持バイアスといった「変化の壁」を超えることができる。そして、新しい発想や行動を職場コミュニティで活かす社員が徐々に増えることで、企業全体のカルチャー変革にも好影響を与える。

「やわデザ」の「交流型変革アプローチ」

組織横断コミュニティへの参加などの「越境的」な行動は、社員に多くのメリットをもたらします。新たな知見やノウハウの習得はもちろんですが、社員の視野が広がることで、固定観念や常識、現状維持バイアスといった変化の妨げとなる壁を越えて、新しい発想や行動が生まれやすくなります。そこに、組織横断型コミュニティを活用したカルチャー変革実現のカギがあります。

オンライン・コミュニティ内で、周囲から日々、繰り返し刺激を受け続けることで、徐々に意識や行動が変わっていくことが期待できます。新しいことを学ぶために参加したイベントで、せっかく良い刺激を受けても、翌日にはすっかり忘れていつもと同じ日常に戻ってしまったという経験は、誰にでもあるのではないでしょうか。刺激を受け続けることが重要です。

また、新しい発想や行動にはモチベーションも必要です。コミュニティ内で、新しいことに挑戦しているメンバーの様子に触れたり、メンバー同士が助け合う瞬間に立ち会ったりと、良い刺激を受けることで、行動するための活力が生まれます。また、困っている社員を助けるなど、自分自身がほかのメンバーに影響を与えることができれば、自身のモチベーションも高まるでしょう。

そして、コミュニティで育てた新しい自分や社内のつながりを、実際の職場に持ち込むことで、周囲に対して好影響を与えながら、各部署それぞれでＤＸを実践していくことが期待できます。

いわばオンライン・コミュニティを新しいアイデアを試す場として活用し、その成果を本業で実践することで、全社的な変革をもたらすというアプローチです。

ポジティブ変革アプローチと交流型変革アプローチ、これら二つのアプローチが、富士通グループだけでなく、みなさんの会社にも変革をもたらすことを願っています。

第8章

富士通に続け！株式会社リコーが見た「やわデザ」の可能性

組織横断型オンライン・コミュニティ「やわデザ」の活動や成果は、富士通グループ外からの注目も高く、「参考にしたい」「情報交換したい」といった申し出も寄せられています。

その中でも、いち早く連絡をいただいたのが、株式会社リコー様でした。本章では、同社で社内コミュニティを運営する3名の方をお招きし、富士通のデザイナーであるマサさんも同席のもとインタビューを実施しました。

【座談会参加者（五十音順）】

奥田龍生（おくだ・たつお）さん

デジタル戦略部デジタル人材戦略センター、ビジネスインテグレーター強化グループ所属のデザイナー。複写機などオフィス機器デザインを経験した後、カメラデザイン部署に異動。数々の製品開発に携わるとともに、マネージャとして部門を率いた。2017年から新規事業のデザイン思考支援活動に携わり、現在はデザイン思考の浸透活動に従事。

武田修一（たけだ・しゅういち）さん

デジタル戦略部デジタル人材戦略センター、リコーを芯からアジャイルにするタスクフォース所属。ハードウェアの外装やUIデザインに従事した後、新規事業やアクセラレータープログラムを支援。リコー内でデザイン思考の普及を推進しながら、２０２２年９月より現職。

森泉香織（もりいずみ・かおり）さん

デジタル戦略部デジタル人材戦略センター、ビジネスインテグレーター強化グループリーダー。国内外のユーザーマニュアル制作に携わった後、グループ会社において戦略立案やマネジメント業務に従事。２０１９年からデザイン思考の浸透活動に携わり、２０２２年からはデジタル戦略部が主催するリコーデジタルアカデミーで、デザイン思考のワークショップの企画や講師を担当し、デザイン思考の浸透活動に従事。

奥田龍生さん

武田修一さん

森泉香織さん

富士通が何かおもしろいことをやっている！

――リコーさんと富士通のコミュニティ活動における連携のきっかけは、森泉さんからマサさんに連絡いただいたことだとか。まずはその経緯から教えていただけますか？

森泉さん　もともとマサさんとは社外のワークショップで面識があり、Facebookでも友達になっていました。2020年にリコーがOAメーカーからデジタルサービスの会社への転換を宣言し、その一環として社内コミュニティを立ち上げることになり、私もそのメンバーとして他社の先行事例を調べていました。そこで富士通さんの「やわデザ」に着目し、立ち上げたのがマサさんと知って「ぜひ情報交換を！」と連絡を差し上げた次第です。

マサさん　森泉さん、奥田さんとオンラインで情報交換を行ったのが、2021年12月でした。

奥田さん　その場では、社内にデザイン思考を浸透させるための取り組みやコミュニティづくりについて、ざっくばらんに情報交換を行い、大きな刺激をいただきました。最後には「一緒に何かイベントをやりたいですね」という話が出て、後日、実際にマサさんを当社のイベントに講師としてお招きすることになりました。

武田さん　2022年の年初からリコーの社内コミュニティ「みんなのデザイン思考とアジャイル（以下みんデジャ）」が立ち上がり、2月には4日間にわたるオンラインイベントを実施しました。マサさんに登壇いただいたのはその最終日のセミナーで、富士通さんが社内コミュニティ「やわデザ」を通して、いかにデザイン思考の浸透とカルチャー変革を進めているかについて語っていただき、大きな反響がありました。

森泉さん　まだ当社のコミュニティが立ち上がったばかりだったこともあり、セミナーを視聴した社員はもちろん、運営側にとっても貴重な学びとなりました。

――ＤＸに取り組む企業や、社内コミュニティを活用する企業はほかにもあるかと思うのですが、特に富士通の「やわデザ」に注目された理由はどこにあるのでしょうか？

森泉さん　２０１９年に就任された時田社長の「ＩＴ企業からＤＸ企業への転換」という方針や、その後の全社ＤＸプロジェクト「フジトラ」の立ち上げなど、富士通さんの取り組みを興味深くウォッチしていました。リコーが掲げる「ＯＡメーカーからデジタルサービスの会社へと生まれ変わる」というコンセプトとも相通じるものがありますし、取り組み上の課題にも共通するものがあると考えていたからです。

奥田さん　どちらも技術系の会社で、デザイン思考を積極的に取り入れているという共通点もあります。また、規模が大きいだけに全社的な変革は容易ではないだろうとの想像もあって、お手本にできることが多いと思っていました。また、直接の競合相手ではなく、全く畑違いでもないという、ほど良い距離感もお声がけがしやすかった理由ですね。

武田さん　私たちのコミュニティは、その名の通り、デザイン思考とアジャイルを社内に浸透させ、ＤＸを後押しすることを目標としています。「やわデザ」とは共通点も多く、幅広い組織から多くの社員が参加していることや、その中で社員同士の対話や助け合いが活性化していることなどは、見習うべきポイントだと思っていました。

デザイン思考とアジャイルを両輪としてＤＸを推進

――両社が近いタイミングでＤＸに取り組まれたのは、やはり似たような課題意識があったからだと思われます。

森泉さん　富士通さんはＤＸでも社内コミュニティづくりでも私たちの先を行かれていますが、課題意識は共通していると思います。さらにリコーにとっては、コロナ禍でペーパーレス化が加速し事務機器が売れなくなったことがビジネス上の大きな課題となりました。

奥田さん　そうした危機感を背景に生まれたのが、「デジタルサービスの会社に生まれ変わる」というコンセプトです。このコンセプトのもと「お客様と共に変化を探索し適応するケイパビリティの獲得」を目指した組織活動を推進しています。

武田さん　リコーでは今回の変革を「第二の創業」と表現しており、それだけ強い危機感と本気度を示しています。その実現に向けたデジタル戦略が策定される過程で、変革の基盤としてデザイン思考とアジャイルが不可欠だという認識が広がり、これらを全社に普及させていくための社内コミュニティ活動へとつながっていきました。

――デザイン思考とアジャイルは、どのようにＤＸとつながっているのでしょうか？

森泉さん　デジタルサービスの会社に生まれ変わるというのは、ＯＡ機器などのハードウェアを売って終わりではなく、お客様のワークフローを改善するデジタルサービスを切れ目なく提供する中で、お客様の課題やニーズを把握し、さらなる提案につなげていくということ。そこで求められるのが、お客様に寄り添い、観察と共感を軸にお客様の課題をともに発見していくデザイン思考的な考え方です。

奥田さん　短期間で開発と適用を繰り返すアジャイルは、仮説と検証を繰り返すデザイン思考と相性が良く、両者を組み合わせて取り入れること

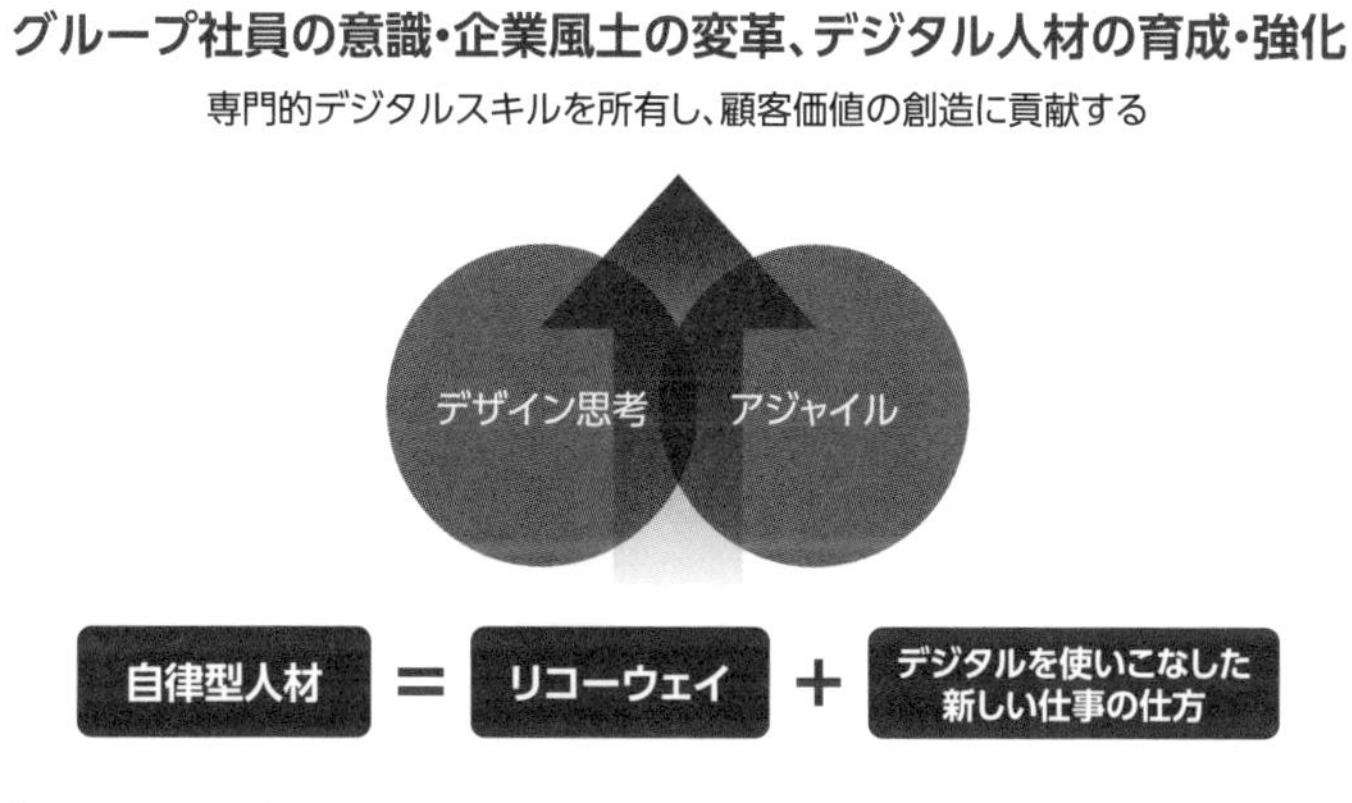

デザイン思考とアジャイルを両輪としたリコーの DX

で大きな効果があると考えています。

武田さん　アジャイルは開発手法として捉えられがちですが、組織運営の手法としても有効だと考えています。経営や企画、マーケティングなど、あらゆる部門において、日々の仕事をアジャイルに回していける組織にしていこうと、2022年9月には「リコーを芯からアジャイルにするタスクフォース」を新設。デザイン思考も含めて、グループ全体への浸透を図っています。

デザイン思考をどう伝えるかは共通の悩み

――「やわデザ」のテーマでもあるデザイン思考について、リコーさんでは、いつ頃から取り組まれていたのでしょうか？

武田さん　リコーのデザイン業務を担う「総合デザインセンター」という組織があり、デザイン思考についても2016年頃から研究していました。その背景には、やはりハードウェア中心のビジネスが曲がり角を迎えていたという事情があり、デザイナーのマインドセットやスキルセットを、今後はプロダクトデザインだけでなく事業課題の解決などにも活かしていこうという流れが一部にありました。

奥田さん　そうした流れのもと、2016年頃から新規事業を中心に、デザイン思考を駆使した共創を働きかけるなど、いわば草の根的な活動をしていましたが、それがＤＸの最重要キーワードとして社内で注目されたのは、２０２１年のデジタル戦略部の設立が大きかったですね。

武田さん　その後、２０２２年にはデジタル人材を育成するための「リコーデジタルアカデミー」が設立されるなど、それまでのボトムアップでの取り組みに、トップダウンの取り組みが加わって、いわば上下からサンドイッチで浸透を図っている状況です。

――富士通でも、デザイナー以外の社員にデザイン思考を理解し、実践してもらうには苦労がありましたが、リコーさんではいかがでしたか？

奥田さん　デザイン思考やアジャイルに対する必要性の認識は部署によって温度差があり、興味のある社員はイベントに参加してくれますが、興味のない社員にはなかなか届きません。それぞれに異なるアプローチも必要かとは思いますが、どうしても自身の業務優先になってしまうのが悩みどころですね。

武田さん　一番参加してほしいのが職場のリーダー層ですが、その人たちが忙しくて余裕がない。デザイン思考やアジャイルが仕事上で成果を発揮するには、どうしても時間がかかるので、それよりも目の前の課題の解決を優先したいという気持ちもわかるのですが。ただ、マネジメント向けの研修にも取り入れ始め、全社的に浸透を図っています。

森泉さん　私はもともとデザイナーではないので、デザイン思考と言われてもピンとこないのは理解できるものがあります。その意味では「みんなのデザイン思考とアジャイル」というネーミングは直接的すぎたかもしれません。デザイン思考やアジャイルを押し出しすぎず、「まずはもっと仲良くなろう」という雰囲気づくりから始めた方が、気軽に集まってもらえたかもしれません。

マサさん　タイトルなどのネーミングは大事ですね。コミュニティの立ち上げ時には「デザイン思考は自分に関係ない」と思っている社員に、いかに関心を持ってもらえるかを考えて「やわらかデザイン脳」という今の名称にたどり着きました。

森泉さん　「みんデジャ」という略称も浸透しつつありますが、「やわデザ」みたいに親しみやすい名称でもいいかもしれませんね。

一歩踏み出す力を与える心理的安全性

――現在の「みんデジャ」の活動内容はどのようなものでしょうか?

武田さん　オンラインイベントなどのコミュニティ活動とnoteでの情報発信を二本柱にしています。ご存じのように、note は社外も含めて一般公開される情報発信ツールです。お客様からも「noteを見たよ」などと言ってもらえることで、社内でもしっかり読んで理解しておこうという意識が広まると思っています。

マサさん　「みんデジャ」のnoteは、記事数も内容も充実されていますね。「やわデザ」も見習いたいところです。

武田さん　当初の構想は、社員にnoteを読んでもらうことで「自分にもできる!」「やってみたい!」という意欲を育み、イベントへの参加を促すというものでした。現在、コミュニティの参加者は約八百名と、規模的にもまだまだで、イベントへの参加率も十分ではありません。百名前後の応募はあっても、仕事との兼ね合いで参加できないというケースも多く、実際の参加者は半分程度ですね。各部門のアーリーアダプターだけが参加しているような状況です。

奥田さん　もう一つ課題と感じているのが、参加者同士の対話があまり活発ではないこと。「やわデザ」では、運営メンバー以外にもコミュニティを活性化させている人がいて、自発的な対話やコラボレーションが生まれています。「みんデジャ」にも固定メンバーは出てきていますが、手を挙げてくれる人はまだ少ないのが悩みですね。

森泉さん　コミュニティが「情報を受け取る場」になっていて、もちろんそこから得られる学びはあるのですが、自発的に情報発信する人がなかなか出てこない。運営側が情報発信しすぎるせいかもしれませんが、受け身の参加者がほとんどですね。「やわデザ」のみなさんの積極性は、どこから生まれているのだろうという興味はすごくあります。

――「みんデジャ」では社内SNSをどのように活用されているのでしょうか?

奥田さん　リコーでもYammerは導入していますが、あまり活用されてない印象です。コミュニティの場としてはTeams、それも富士通さんのような大人数でのチャットグループではなく、チャネル単位で話題ごとにスレッドを立てて使っています。「やわらかチャット」では、どうやって活発な会話を維持しているのでしょうか?

マサさん　「やわデザ」ではオープンマインドとスマイルを参加条件にしていて、異なる意見や価値観を許容し合う空気感を大切にしています。「やわらかチャット」を始める際には不安視す

リコーさんのnote「みんなのデザイン思考とアジャイル」初回記事

る声もありましたが、コミュニティの立ち上げから半年経っていて、対話型イベントなどを通じて、ある程度は「顔の見える関係」を築けていたこともあって、仮に意見の相違があっても言い争いにはならず、建設的なやり取りで終わっていますね。

森泉さん　富士通さんのチャットは、経営層が参加して積極的に発言されていてすごい。経営層が加わっていると、一般社員の自由な発言はしにくくなるのではないかと思えます。その点、「やわデザ」や「やわらかチャット」では、役員の方が社員の投稿を熱心に読んで、回答や応援のメッセージを送られています。そこから「自由に発言しても大丈夫なんだ」という意識が広がって、参加者の投稿を後押ししているのだと思います。

マサさん　コミュニティ内の心理的安全性は重要ですね。企業の経営層や幹部層が雑談やプライベートな情報も交えて投稿することで、その人となりが見えてくると、社員側も親しみを感じて歩み寄りやすくなりますし、「スナックまり」のように経営層が応援することで公認化された活動もあります。

森泉さん　「スナックまり」はすごいですよね。リコーではとてもできない（笑）。

マサさん　富士通でも同じですよ。一部の若者の間でスナックが流行ったり、スナック自体が多様化したりしているのに、昭和の古いイメージのままの方もたくさんいます。大切なのはスナックで何をしたいのかという目的です。「社内でスナックをやりたい」と宣言するからには、その背景に何か強い想いがあるはずです。思い切って「やわデザ」で発言したことで、それに共感する仲間が集まり小さな活動がスタートしたのです。そして、経営層の後押しもあって大きな動きとなりました。

——きっかけを逃さず実際にカタチにしたということですね。これは、リコーさんでも「前例があるから」という心理的安全性につなげられるかもしれませんね。

森泉さん　リコーには「事例を知りたい」という人は多くて、何か新しいことをやろうとすると、まず前例を探しますね。逆に言えば、前例があれば物事を進めやすいので、まずは一つひとつのきっかけを大事にして、前例を積み上げていくことですね。

武田さん　現状では、note記事から知識を得られても、その知識を実践する場がないのが問題です。お客様からの課題をいただく機会はあるので、その機会を活かして、コミュニティ内で課題解決に向けた共創する場づくりをやっていきたいですね。そこで実践し、しっかりした成果を出すことが事例になり、その経緯をそれぞれが自部門に持ち帰って発信することで、「巻き込む力」にしていきたいと思います。

楽しいという気持ちを変革の力に

——これから「みんデジャ」には何が必要だとお考えでしょうか？

武田さん　リコーグループは、世界約二百の国と地域で約八万名の社員が働いています。その規模からすると、「みんデジャ」はまだまだほんの小さな活動です。まずはより多くの社員を巻き込んでいく必要があると思っています。

森泉さん　そのためには、もっと参加へのハードルを下げることが大切だと思います。ルールを厳格にしすぎると、参加しにくく、発言もしにくくなりかねないので、テーマは決めても、何か結論を出そうとするのではなく、まずは普段接する機会のない他部署の人との対話を楽しむ場にしていきたいですね。

武田さん　確かに、バックボーンの異なる人との対話自体が刺激になるので、その楽しさをもっと気軽に味わってもらいたいです。講演やセミナーなどのイベントと、誰でも気軽に参加できる対話の場を、うまく使い分けていきたいですね。

奥田さん　国内三万人ものグループ社員がいれば、当然ながら組織や職種によって課題意識にも温度差があり、それを踏まえて、いろいろなアプローチを考えていくべきですよね。

――リコーさんのＤＸに向けた宣言からは、変わらなければとの危機感が伝わってきます。それは社員のみなさんにも共有されていると思うのですが、いかがでしょうか？

森泉さん　環境が変化する中で、誰もが変わらなければという危機感を抱いているはずですが、どうしても目の前の仕事優先になってしまうという難しさがあります。

奥田さん　リコーの社員は、言われたことを確実に実行するという強みがある反面、新しいことにチャレンジするのは苦手かもしれません。これはものづくり企業として長きにわたり培われてきた企業風土なので、結果を急がず、長い目で見ないといけませんね。

森泉さん　培ってきた風土を変えるには大きなエネルギーが必要なので、もっと気軽に、そこまでのエネルギーを要することなく、身の回りの小さなことから変えていけるようなコミュニティにしていきたいですね。

――リコーさんが変えていこうとする先には、どんなビジョンがあるのでしょうか?

奥田さん　やはり、創業百年に向けてリコーが掲げる新しいビジョン「”はたらく“に歓びを」でしょう。私たち自身にも当てはまるものだと思っています。もっと毎日の仕事を楽しもうとする気持ちが、変化への第一歩になるのではないでしょうか。

武田さん　デザイン思考やアジャイルは、仕事をもっと楽しむためのツールでもあります。その特性が発揮されるのは、課題を解決したり、新たな価値を生み出したりといった仕事。そういった仕事には正解がないので、当然、失敗もあります。それを大変だと思うか、楽しいと思うかはマインドセットの問題なので、そこを変えていきたいですね。

森泉さん　仕事を楽しむためには、失敗が許容される文化が大切ですよね。そうした文化が広がれば、新しいことに挑戦しようというマインドが生まれてくると思います。デザイン思考を推進している組織では小さく失敗して次につなげることが普通で、もともとデザイナーでなかった私としては、そうした文化に触れることで仕事を楽しめるようになりました。それもデザイン思考の価値でしょうね。

自社だけの変革では意味がない

――今後のコミュニティ活動で、富士通との連携に期待することがあればお聞かせください。

武田さん　2022年4月から、富士通さんやリコーを含めた6社による企業間やわらかネットワーク「あすよみDX」がスタートしました。そうした企業間の交流の場を活かして、各社が社内のプラクティスを持ち寄れたら、お互いの勉強になると思います。

奥田さん　同じような悩みを持っている企業はほかにもたくさんあると思うので、ほかの企業にも「あすよみDX」に参加してもらいたいし、各社が抱えている課題や取り組み事例などを積極的に情報発信してもらえるとありがたいですね。

森泉さん　社会をより良くしていくためには、自社だけが変わっても意味がありません。多くの企業を巻き込んで、お互いがWin-Winになるような関係を築いていきたいですね。

マサさん　確かに、リコーさんに「やわデザ」を注目してもらっていると発信することで、富士通の社員にとっても、あらためて価値を見直す機会になります。

武田さん　やはり内部の社員の言葉と、社外の方の言葉ではメッセージの強度が違います。自社の社員がどれだけ言っても「またあいつらが何か言っている」と捉えられがちです。

奥田さん　富士通さんのように同じ立場や課題を持っている人の言葉だと強い影響がありますね。実際、先述したマサさんの講演も多くの視聴者を集めたし、現在は他社で活躍している元リコー社員の講演も、大きな反響がありました。やはり、似たような価値観やバックボーンを持つ人の言葉は刺さりやすいと思います。

――幕末の日本が黒船によって開国できたように、外圧がないと変わらないというのは昔から日本人の持つ特性かもしれませんね。

武田さん　お互いが外圧をかけ合うような形で刺激を受けたり、与えたりできたらと思います。

マサさん　これからも様々な企業といろいろな形でコラボレーションしながら、企業間やわらかネットワークを一緒に広げていきたいですね。

第9章

社員一人ひとりの行動が富士通を変える

ここまで、組織横断型オンライン・コミュニティ「やわデザ」が、富士通グループの社員や、その所属組織にどのような変化をもたらしたかを見てきました。ここからは、こうした社員や組織の変化の先に何があるのか、富士通が何を目指し、どのように変革していくのか、現在進行中の取り組みも含めて紹介していきます。

「やわデザ」の目標であったデザイン思考の浸透や、社内カルチャーの変革が、どのように富士通のDX、すなわち企業体制やビジネスモデルの変革に結びついていくのか、現時点での最新情報とともに見ていきましょう。

「やわデザ」とともに広がるビジネス現場におけるデザイン思考の実践

2020年7月に誕生した「やわデザ」は、それから約2年半を経た現在、三千三百名のメンバーが集まる大きなコミュニティに成長しています。

その目的は、DX企業への転換の原動力となるデザイン思考をグループ13万人に浸透させるとともに、組織横断型オンライン・コミュニティの特性を活かして企業カルチャーの変革を図ること。そして、多様な社員の力を結集して環境変化に柔軟に対応できる「やわらか組織」の実現を目指していました。

「やわデザ」運営メンバーは、立ち上げ当初に次のようなイメージを描いていました。

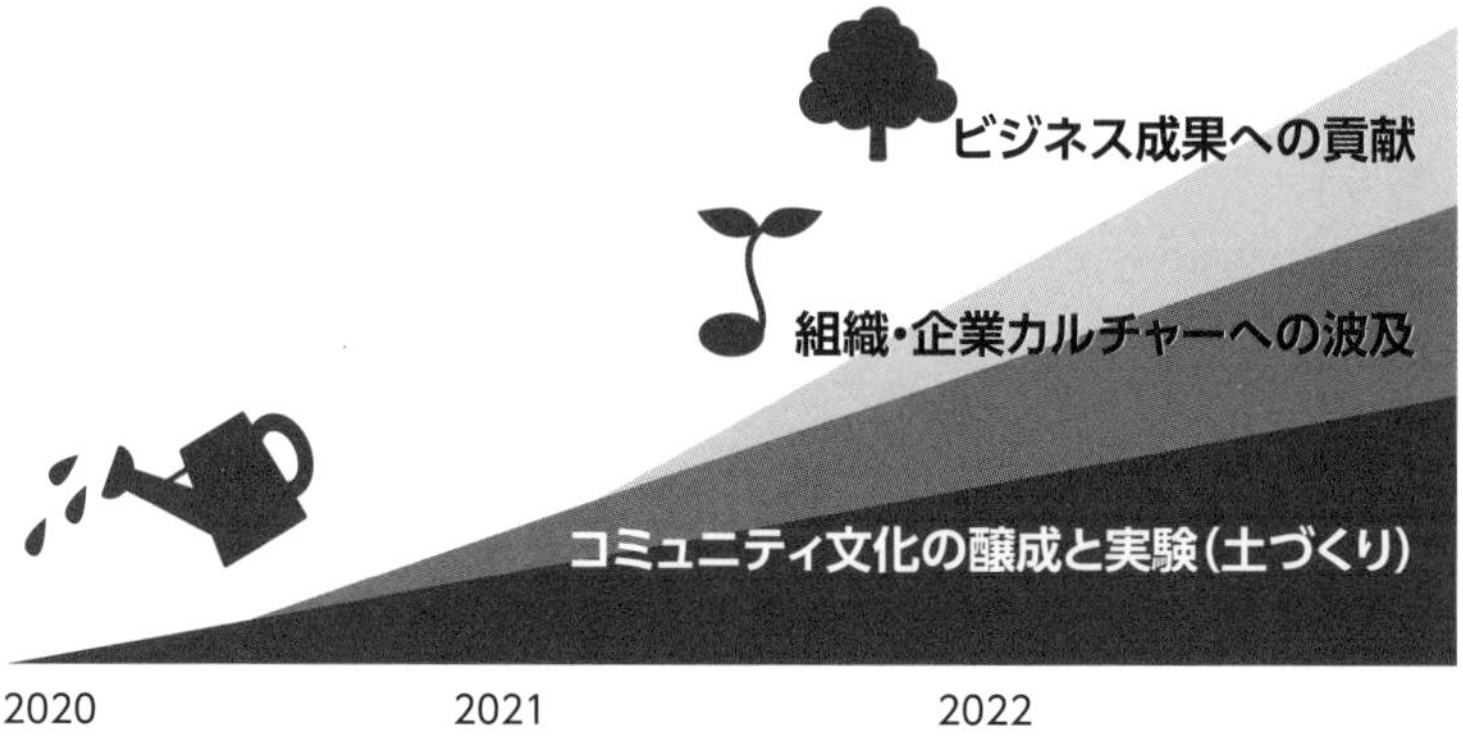

「やわデザ」立ち上げ当初の成長イメージ

まずはコミュニティ内での活発な対話と交流を通じて「オープンなコラボレーションが日常になる文化」を醸成。コミュニティの中で多様な価値観に触れ、新たな知識や気づきを参加メンバー一人ひとりが自部門に持ち帰り、グループ全体に新しいカルチャーを広げていく。その後、各組織でも新しい取り組みにデザイン思考の実践が求められ、ビジネス価値の創出につながる、というものです。

実際、最近の富士通ではデザイン思考の実践例が増えつつあります。

例えば、構築から20年以上が経過し、老朽化した「レガシーシステム」となっていたグループ内決裁システムをリニューアルする「Open DoA(Delegation of authority＝権限委譲)プロジェクト」でも、デザイン思考によるアプローチを導入。「ありたい姿」を描いてシステムが目指すべき方向性を明確にすることで、決裁に要する時間を30％削減するといった成果を上げました。

このほかにも、ユーザーからの問い合わせに対応するＡＩチャットボットの開発や、小中学生向けスクールタブレットの開発など、デザイン思考的なアプローチが幅広い領域で実践されています。

本書では、主に組織横断型オンライン・コミュニティの取り組みを中心にご紹介しましたが、デザインセンターでは、人材開発チームや経営層と連携して、デザイン思考に関するオンライン研修の提供や、プロジェクト支援、組織支援なども行っています。その結果、社内ＳＮＳのYammerを活用して、それらの成果をオープンに発信するチームや組織が徐々に増えつつあります。

オンラインの働き方が日常になり、物理的な組織の壁もなくなった今、富士通内では組織の枠を越えて社内ＳＮＳやデザイン思考を活用した新たな価値創造が広がりつつあることは確かでしょう。

富士通のパーパスとパーパスカービング

富士通に限らず、「やわデザ」のような社内コミュニティ活動の成果を、ビジネス現場で実

2020 年に制定された富士通のパーパス

践するうえでの指針となるのが、その企業の掲げる「パーパス」です。

近年、「パーパス経営」という言葉を目にする機会が増えていますが、簡単に言うと、企業の社会的な存在意義をパーパスとして明確に示し、経営の基軸とすること。ＥＳＧ（環境・社会・ガバナンス）やＳＤＧｓ（持続可能な開発目標）への意識が世界的に高まり、企業の存在意義が問われる中で、パーパス経営への注目度が高まっています。

富士通では、２０２０年5月に「イノベーションによって社会に信頼をもたらし、世界をより持続可能にしていくこと」をパーパスと定め、その実現に向けて、同年7月には全社員の原理原則である「Fujitsu Way」を12年ぶりに刷新しました。

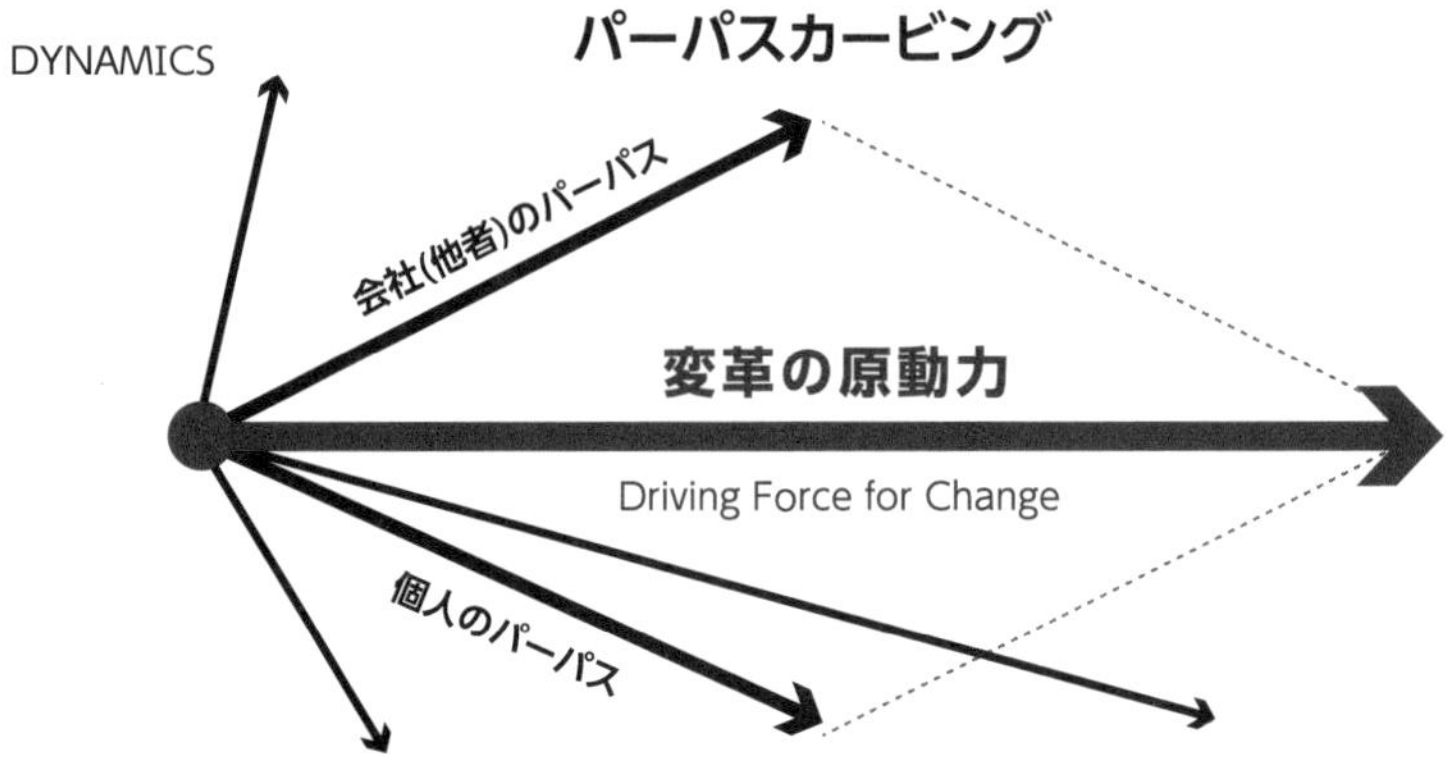

一人ひとりが違う存在だからこそ、それぞれのパーパスは違います。しかしだからこそ、異なる2つの間に合力が生まれ、それが変革の原動力になります。

会社・組織と個人のパーパスの「合力」が変革の原動力に

その意義について、時田社長は「富士通全体が強くなるためには、世界中で13万人のグループ社員の多様な力と知恵を結集する必要があり、そのための求心力となるのが、富士通全社員が共感できるパーパス」と語っています。

富士通は、新たに定めたパーパスに全社の活動をフォーカスさせる一方で、社員一人ひとりがパーパスを自分ごととして捉えられるよう、「パーパスカービング」と呼ばれる取り組みを行っています。

「カービング（Carving）」とは彫り出すこと。パーパスカービングはその名の通り、個人のパーパスを彫り出し、言葉にするための対話型プログラムです。少人数グループによるディスカッションを通じて、社員一人ひととりが、現在に至る経験や、大切にしている価値観を振り返り、未来に想いをはせながら、自身のパーパスを彫り出していきます。

２０２０年６月から導入したこのプログラムは、社長を含めて経営層からスタートし、２０２２年９月時点で約７万人の社員が自身のパーパスを言葉にし、名刺などにも掲示しています。

社員個人のパーパスと富士通のパーパスに違いが出てくるのではないかと、疑問を持たれるかもしれません。富士通ではむしろ「一人ひとりのパーパスに違いがあることに価値がある」と考えています。異なるベクトルが多様な「合力」を生み、環境変化に対応しながら、さらなる革新へとつなげていけるからです。

さらに、２０２１年度からは、パーパスやFujitsu Wayを実現していくための新たな評価制度「Connect」を導入しました。各組織のリーダーが、パーパスを起点とした各組織のビジョンをメンバーと共有し、共感できているか、組織ビジョンの実現に向けてどれだけのインパクトを与えたか、また、個人のパーパスを起点にどれだけ成長したか、などを評価する一貫性を持った仕組みです。

こうした取り組みや制度のもと、富士通はパーパス経営を強力に推進していきます。

新ブランドFujitsu Uvanceが目指すもの

２０２１年10月、富士通はパーパスの実現を目指した新事業ブランド「Fujitsu Uvance（ユーバンス）」を発表。同ブランドのもと、サステナブルな世界の実現に向けて、社会課題の解決にフォーカスしたビジネスを強力に推進していくことを宣言しました。

「Uvance」とは、「あらゆる（Universal）」ものをサステナブルな方向に「前進（Advance）」させるという意味の造語で、「多様な価値を信頼でつなぎ、変化に適応するしなやかさをもたらすことで、誰もが夢に向かって前進できるサステナブルな世界をつくる」との決意が込められています。

その命名にあたっては、全社員が自分ごととして捉えられるよう、グローバル規模での社員投票を実施しました。

Fujitsu Uvanceでは、２０３０年という近未来の世界を見据え、優先的に取り組むべき四つの課題群（Vertical Areas）として、

- Sustainable Manufacturing：環境と人に配慮した循環型でトレーサブルなものづくり
- Consumer Experience：生活者に多様な体験を届ける決済・小売・流通
- Healthy Living：あらゆる人々のウェルビーイングな暮らしをサポート
- Trusted Society：安心・安全でレジリエントな社会づくり

「Fujitsu Uvance」７つの Key Focus Areas

その解決に資する三つのテクノロジー基盤（Horizontal Areas）として、

・Digital Shifts：データドリブン、働き方改革
・Business Applications：クラウドインテグレーション、アプリケーション
・Hybrid IT：クラウド、セキュリティ

という合計七つの「Key Focus Areas（重点注力分野）」を設定しています。

パーパスおよび Fujitsu Uvance からは、持続可能（サステナブル）な社会づくりに向けた富士通の強い決意が伝わってきます。その根底にあるのは、人類が直面する社会課題を解決できなければ、お客様も地球も持続できず、当然ながら富士通も持続できないという強い危機感です。社会とともに持続可能であるために、まず富士通自身が変わらなければならないという自覚が「SX（サステナビリティトランスフォーメーション）」の実践へとつながっているのです。

デジタルの力で会社組織やビジネスモデルを変革させるDXと、自社とお客様、そして社会のサステナビリティを推進するSXは、パーパスを達成するための両輪であり、富士通の将来に向けた大きな柱となる取り組みです。

富士通の変化を象徴する新たなブランドアイデンティティ

富士通はFujitsu Uvanceの始動に合わせて、ブランドアイデンティティを全面的に見直しました。

ブランドアイデンティティとは、お客様に印象づけたい企業イメージを可視化したもの。具体的には、ロゴ、マーク、カラー、フォント、写真など、ブランドを象徴するデザイン要素を定義したもので、それらを活用して広告やWeb、名刺などを一貫したイメージに仕上げるためのルールを「Corporate Brand Identity System」にまとめています。

新たなブランドアイデンティティには、三つの特徴があります。

第一に、富士通のシンボルでもある「インフィニティ（無限）マーク」に「継続的な変革」の象徴としてグラデーションを配色し、あらゆるものをつなぐという意味合いを持たせています。

第二に、多様性を意識したカラフルなコーポレートカラーを適用しました。従来は赤とグレーで統一していましたが、今回は赤や青、緑、オレンジ、ピンクなど8種類のプライマリーカラーを設定。名刺も各個人がカラーを選択できるようバリエーションを持たせており、富士通のグローバル企業としての強みである世界13万人の社員が持つ多様性を表現しています。

第三に、アクセシビリティ（利用しやすさ、近づきやすさ）を考慮したコーポレートフォントを採用しています。

ブランドアイデンティティの刷新は、富士通が変わりつつあることを広く社会に発信したものと言えるでしょう。

社内SNSを活用したカルチャー変革が導く未来

ここまで紹介してきたように、組織横断型オンライン・コミュニティ「やわデザ」がメンバーにもたらした変化は、組織や部門の壁を越えて富士通グループ全体に広がりつつあります。そうした社員の一人ひとりの変化が、パーパスカービングによって全社のパーパスと結びつくことで、全社DXプロジェクト「フジトラ」をはじめ、新事業ブランド「Fujitsu Uvance」やブランドアイデンティティの刷新など、近年の富士通グループの変革を支える原動力となっているのです。

富士通に限らず、幅広い企業において、社内ＳＮＳを活用したカルチャー変革が社員に変化をもたらし、社員一人ひとりの小さな行動の積み重ねが企業全体の変革を牽引する、そんな未来が期待されます。

第10章

DXプロジェクトリーダーが語る企業の変革と「やわデザ」への期待

ここまで、全社DXプロジェクト「フジトラ」をはじめとした富士通の変革への取り組みとともに、その中で「やわデザ」に象徴されるカルチャー変革がどのような役割を果たしているかをお伝えしてきました。

その根底にある経営層の方針や意思、理念などを、より深くご理解いただけるよう「フジトラ」を牽引するCDXO兼CIOである福田譲氏にインタビューを行いました。

その飾らない言葉からは、変革への強い信念とともに、その原動力となっている「人は変わることができる」という確信が伝わってきました。

SAP時代に見た日本組織の課題と富士通の課題

――福田さんは2020年3月にSAPジャパンの代表を退任され、翌4月にDXの牽引役として富士通に加わりました。SAPといえば、ERP（Enterprise Resources Planning 統合基幹システム）の世界トップ企業。かつては「商売がたき」であった富士通を、どのようにご覧になっていましたか？

福田さん　僕はSAPに23年勤めましたが、富士通は最大の競合相手であると同時にパートナーでもありました。もともとはライバルの色が濃かったのですが、SAPの日本市場への浸透が進んだ2010年頃からは、富士通もSAPビジネスへと舵を切り、それからは

7割パートナー、3割競合みたいな状態で、富士通のみなさんとも親しく付き合っていました。

——SAPと富士通とで、提案スタンスなどに違いは感じていましたか?

福田さん　SAP時代、「グローバルに競争力を上げたい」と経営層が目標を掲げているお客様に提案する際、IT部門の担当者からは「どうせうちの会社は変えられない」「グローバル志向なのは経営層だけ」と言われることが多くありました。そのような案件では、IT部門との関係を重視する富士通は、お客様の現場と密着して従来通りの提案をするという構図が少なからず見られました。

——少し乱暴に言えば、理想主義のSAPと

全社DXプロジェクト「フジトラ」資料に登場する福田さん
(役職は2023年4月時点のもの)

現実主義の富士通ということでしょうか?

福田さん　結局はお客様次第なのですが、煮え湯を飲まされたことも多い(笑)。そのような経験から、顧客企業の経営陣のリーダーシップに課題感を感じることが多かったです。

——日本企業のDXが進まない原因も、そこにありそうですね。

福田さん　日本のデジタル化がなかなか進まないのは、ユーザー企業自身の明確なデジタル改革のビジョンや目的、リーダーシップ、ガバナンスの課題が大きいのではないか、と感じていました。背後にある、なぜ変えられないんだろうという感覚は、富士通に対しても抱いていました。

――課題意識はあるのに実行に移せないというのは、ユーザー企業だけでなく日本企業に共通する課題と言えそうです。

福田さん　その課題は企業だけでなく、日本の社会や政治にも言えることかもしれません。例えば、30年以上前から教科書に載っている少子高齢化は、長年にわたって声高に叫ばれ、少子化担当大臣まで任命されてきたのに、何も解決していない。日本は個人レベルでは課題意識が高く、何とかしなければと思っている人は多いけど、この指止まれと自ら行動を起こすリーダーが少なく、和を重んじるあまりに根本原因の解決が行動に移せない。個人のレベルでは戦闘能力が高いのに、集団になった瞬間に戦闘能力がだだ下がりするのは、日本の弱点ではないでしょうか。

――本書のテーマである組織の課題の根幹をえぐるような指摘です。

福田さん　組織というのはバーチャルな存在で、実体は個人の集合体。組織を動かすにはまず個人が動かないといけない。ただ、自ら動き出す個人が少ない、何かを変えるリーダーシップを発揮することから逃げて、周りの様子を見ることに終始する個人が多い印象があります。かつての富士通も、外からはそういう典型的な組織に見えていて、パートナーとして親しくなってからは、「こういう変革をしましょうよ」とか、いろんな提案をしたけれども動かなかった。その頃は、まさか自分が富士通に加わるとは思ってもいなかったけれど（笑）。

富士通入社の決め手となったのは自身のパーパス

――そんな福田さんが富士通に加わったのは、やはり時田社長の就任がきっかけでしょうか?

福田さん　そうですね。就任直後に「ＩＴ企業からＤＸ企業へ」という日経新聞の全面広告を見て、シンプルに面白そうだと思っていました。そんなタイミングで声をかけていただき、経営陣と面談をする中で、本気で富士通を変えようとする意欲が伝わってきて、「これは日本にとって大きなチャンスでは」と感じました。

――富士通が変わることで、そのお客様であるユーザー企業も変わることができると?

福田さん　冒頭で申し上げた通り、多くの日本のユーザー企業は、構造的に自身が強力にデジタル変革を進めるには課題があります。従って、社外からの協力や刺激が欠かせない。そのＩＴ業界の雄である富士通の振る舞いが変われば、多くの日本企業にデジタル変革の潮目の変化を与えられるかもしれないと思いました。

――富士通が変わることで、日本企業がなぜ変われるのでしょうか?

福田さん　正直に言うと、前職時代は外部から応援して日本企業が変わるのを手伝うことに対して限界を感じていました。ＳＡＰやマイクロソフト、Googleなどの外資系企業が実例を示しても、日本企業にはあまり響かない。「それは外資系だからできるんでしょう。日本企業は違うんですよ」という声を何度も聞きました。しかし、自分たちと同じ、典型的な日本企業である富士通が変われたら、大半の日本のお客様にそのまま受け取ってもらえます。

——富士通を変えることをテコに、日本企業全体を変えようというわけですね。

福田さん　私個人のパーパス（働く動機）は「日本を、世界を、もっと元気に！」です。もともとは転職する気はありませんでしたが、本気で富士通を変えようとする経営陣との対話から、富士通内で改革を担うことで、自身のパーパス達成に近づくのではないかと思うようになりました。ITやデジタルデータは、日本でももっと戦略的に活用できるはずなのに、と残念に思っていただけに、そのパーパスを富士通、ひいては多くの日本企業を変革させることで実現できるかも、と考えが変わっていったのです。

福田さんの名刺に記されたパーパス「日本や世界をもっと元気にしたい」

――そうしたパーパスは、どのような経験の中で培われたものでしょうか？

福田さん　ＳＡＰ時代、変わろうとしない企業に物足りなさを感じる一方で、立派に変革に取り組む企業にも少なからず出会いました。そんな企業には、パーパスを掲げて真正面から改革に取り組み、リスクを取りながら変革をリードするキーマンたちがいました。いろんな企業を回って変革者を探し、意気投合して信頼を得たうえで、経営改革を支援しているとＳＡＰが導入される、というのが僕の仕事だったわけです。そうした方々と接しているうちに「変革を応援するのではなく、自分自身が変革者になりたい」との想いが強くなりました。そうして固まったのが先ほどのパーパスです。

デザイン思考と社内ＳＮＳがカルチャー変革を加速させる両輪

――富士通に入社後、全社ＤＸプロジェクト「フジトラ」を立ち上げられましたが、デザイン思考をその重要な要素とされた狙いはどこにあったのでしょうか？

福田さん　デザイン思考には、富士通に加わる以前から注目していました。前職ＳＡＰはドイツの会社ですが、かつては、組織の硬直化やグローバル化の遅れなどの課題を抱えていました。それがデザイン思考を本格的に導入することで、10年くらいかけて大きく変わる経験を目の当たりにしました。その経験から、フジトラの企画当初からデザイン思考や、富士通のデザイン会社である富士通デザイン（当時の社名）に目をつけました。

――デザイン思考のどこが魅力に感じられたのでしょうか？

福田さん　デザイン思考が重視する、「まずやってみる」「否定しない」「失敗から学ぶ」「方向転換をいとわない」といった価値観や柔軟な考え方です。一説には、デザインの語原は、「デ」が「否定」、「サイン」が「常識」を意味していて、つまりは常識を否定すること。これらの価値観が、今のカチコチになってしまっている日本企業の課題にドンピシャだと思っていました。入社して最初に自分から会いに行ったのは、富士通デザインのデザイナーたち。富士通では、一部の部門ではありましたが、それなりにデザイン思考の理解が進んでいることがわかりました。これは僕にとってのグッドニュースでした。

――デザイン思考を全社に広げるために活用されたのがYammerによる社内SNSでした。

福田さん　社内にデザイン思考を広げようとした際に、入社前からの予想通り、組織の壁が厚いという課題を実感しました。ただ、これを乗り越えることこそ、デジタルが一番得意なこと。SNSのようなデジタルネットワークの中では、組織の壁はないし、立場の違いもなく取り組みやすい。「デザイン思考×SNS」の組み合わせはズバリだなと。

――富士通内でのYammerを使ったコミュニティ活動に対する手応えはいかがでしょうか？

福田さん　大いに感じています。Yammerの利用者が爆発的に伸び、あっという間に一万個以上のコミュニティが立ち上がりました。コロナ禍でリモートワークが進む中、みんなが自然につながろうとしたという背景もあったでしょうが、やはり富士通の人たちは、もともとデジタルになじむ素養があったのだと思います。部署内のフォーマルなものもあれば、同じ趣味の人が集まるインフォーマルなものもあり、自然に普及していきました。「役員に『いいね』をしてもいいんだ！」みたいな空気が広がることが大切ですよね。

デザイン思考や社内ＳＮＳは当たり前のこと

――デザイン思考や社内ＳＮＳについて、産業界全般の反応をどう思われていますか？

福田さん　勘違いされがちですが、デザイン思考や社内ＳＮＳは、新たに勉強して身に付けるものではありません。むしろ「素の自分に戻ること」だと思っています。誰しもプライベートな時間にはリラックスしているし、好きなことをやるし、自然に物事をクリエイティブに考えているもの。自然にデザイン思考を実践しているんです。ＳＮＳも同様で、いまや、ほとんどの人がスマホでLINEをしたり、同窓会の連絡もFacebookで来たりするじゃないですか。プライベートではデジタルのツールを自然に使っているんですから、仕事でもできないはずはありません。

――やはり組織内のポジションというか、肩書きが邪魔している面があるのでしょうか？

福田さん　個人はもともとデザイン思考を無意識にでも理解しているし、体現しています。やるべきことは、素の自分に戻るために肩書きを外す、鎧を脱いでみんなが人として付き合うこと。子どもたちの間には肩書きはないし、忖度せずに言いたいことを言える。子どもが自然にできていることが、大人になって賢くなり、いろんなことがわかってくると、かえってできなくなる。それを解放する、脱ぎ去るだけのことです。

――子どもができたことが、大人になるとできないという指摘は、デジタル化全般に当てはまりそうです。

「やわデザ」に感じた安心感と期待感

――Yammerを活用したオンライン・コミュニティの代表格が「やわデザ」ですが、福田さんはかなり初期から参加いただいていますね。立ち上げメンバーのマサさんをはじめとした「やわデザ」運営メンバーについては、どのような印象をお持ちでしょうか？

福田さん　「こういう人がいてよかった！」という印象です。時田社長や僕が「富士通を変えよう」と言っても、その指にある程度の社員が止まってくれないと、何も進まない。そんな危機感もなくはなかったので「富士通の中にも変わろうとする人がちゃんといるんだ」

という手応えを感じられて、単純に嬉しかった。

——デザイン思考を全社に普及させるという目的に照らした「やわデザ」へのご評価は？

福田さん　デザイン思考の浸透には、トップダウンなオフィシャルな動きと、ボトムアップの自然な動きがあって、「やわデザ」は後者。デザイン思考を実践したいと率先して取り組んでいる人たちが「やわデザ」に集まっているように感じます。

——「やわデザ」から多くの活動が広がっていますが、特に印象的な取り組みはありますか？

福田さん　やはり「スナックまり」のインパクトは大きいですね。以前の富士通では

考えられないテーマや動きではないでしょうか。「いいな」と思ったのは、社内で正々堂々と「スナックのママになりたい」と言っている若手がいること。もう一つ感心したのが、僕が応援する以前から、周りにサポーターがいっぱいいたこと。会議などでは「部門の壁が」と言っている人も多い中、部門や担当業務に関係なく協力し合える世界が「やわデザ」のようなコミュニティには存在していた。そこに大きな可能性を感じました。

経営トップの仕事はみんなをやる気にさせること

――「スナックまり」への後押しも含めて、経営層である福田さんが、常に「やわデザ」をチェックされていることに驚きの声も上がっています。

福田さん　「やわデザ」を見るのは、移動時間とか隙間時間などにスマホでやっていますが、これぞというものを見つけてアクションするのは、当然、仕事としてやっています。むしろ、それこそが経営層の仕事だと思っています。

――経営層の仕事といえば、経営戦略を練ったり、経営会議に出席したりすることと思いがちですが、社内コミュニティを後押しすることも重要な仕事ということでしょうか？

福田さん　SAPジャパンで6年間社長職を務める中で、自分一人があと10％頑張るより、百人、千人の社員が1％頑張った方が、結果として会社のパフォーマンスが上がるということを痛感しました。経営トップの仕事は、自分の仕事にやる気を持ってまい進してくれる社員を増やすこと。それが経営者としてのミッションや数字を達成する秘訣でもあります。「組織の壁で困っている人はいないか」「やりたいことがあってエネルギーもあるのに、やれないで助けを求めている人はいないか」と社内を探して、本領を発揮してもらうようサポートをするのは、経営層の重要なミッションであり、そのために最適な手法の一つが社内SNSを活用することです。

——そうした意識は、日本企業の経営層にはあまりないもののように感じます。

福田さん　僕も最初からそうだったわけではなく、リーダーとして組織で結果を出すことがうまくいかない経験や失敗から方向転換しました。自分が頑張るのでなく、周囲に頑張ってもらうことで組織を強くする、いわば「マルチプライヤー（増幅器）」型のリーダーに転換することで結果を出し、リーダーシップのスタイルを変えていったのです。

人は後天的に変わることができる

——お話を伺っていると、「変わらない、変われない」と言われ続けてきた日本企業を変革することに、どこか希望を見出しているように感じられます。

福田さん　簡単ではないでしょうが、変われるという確信はあります。それは、人は後天的にいくらでも変われると信じているから。組織は人の集合体なので、人が変われるということは、組織もいくらでも変われるはずです。

――「生まれ持った資質は変えられない」と諦めがちな人が多い中、そうした確信はどうやって培われたのでしょうか？

福田さん　僕自身の成長や進化が後天的なものだからです。今は英語も喋るし、仕事も楽しくやっていますが、もともとは全くそうではなかった。大学時代の友人が「お前、絶対サラリーマンは無理だと思っていたのに」と驚くくらい（笑）。SAPに入社したのも、都心にオフィスがある外資系企業に憧れたからというくらいの理由です。

――容易に信じられない話ですが、どのような経緯で変われたのでしょうか？

福田さん　変わるにはきっかけが重要で、僕がラッキーだったのは尊敬できる方々に巡り合えたこと。例えば、30歳を目前にした頃に数週間、海外の大学院で勉強する機会があり、そこに世界中から集まった同僚たちに会って衝撃を受けました。自分で考え、たどたどしい英語ででも意見を表明している同僚に対し、自分は英語ができないことを言い訳にして発言もせず、そもそも明確な自分の意見を持っていないことに気づきました。そこにショックを受けると同時に、せっかくグローバルカンパニーに入ったのに、チャンスを活かしてない、自分自身の未来にコミットしてないなと痛感しました。

――その気づきが、ご自身を成長させるきっかけになったのですね。

福田さん　大学院から日本に帰ると、すぐに日本法人の社長のもとに出向きました。「今回、海外に派遣してもらえたおかげで、自分が井の中の蛙だと気がついた。自分はグローバルに通用する人になりたいので、グローバルな仕事に変えてほしい」と訴えました。すぐに叶えられ、最初は全く言葉が通用しませんでしたが、数年後には普通に喋れるようになり、何よりも仕事が楽しくなりました。

――そうした経験が「人や組織は変わることができる」という確信を支えているわけですね。

福田さん　ちょっとしたきっかけと自分自身のコミットメントさえあれば、日本の大半のビジネスパーソンも世界に通用するビジネスパーソンになれると思います。それはグローバルという面だけでなく、デジタルについても同じこと。社員一人ひとりが変わることで、組織も変わっていく。多少、時間がかかるかもしれませんが、富士通はもちろん、あらゆる日本企業が、大変身できると思っています。今回の富士通の取り組みは、ある意味、それを証明するための壮大な実験なんですよ。

終章

最終目標は、社会を変えること

締めくくりとなる本章では、これから「やわデザ」が目指す方向性や、その先に描く未来図について紹介します。「やわデザ」メンバーや富士通グループ社員はもちろん、みなさんの将来にも関わってくるかもしれませんので、ぜひご一読ください。

社会課題をテーマにもう一つの「やわデザ」が誕生

富士通グループ内のカルチャー変革を目的として、2020年7月に誕生した「やわデザ」ですが、参加メンバーの増加に伴い、組織や立場を越えた多くの社員とのつながりや交流が生まれ、たくさんの学びや気づきが得られる場へと成長していきました。目標としていたオープンで自発的なコラボレーションが幅広い組織で生まれており、一定の成果が出ていると言えるでしょう。

こうした成長とともに、コミュニティにいくつかの進化が生じています。その一つが、新たな「やわデザ」の誕生です。

混乱しないよう、改めて整理しましょう。もともとの「やわデザ」は、正式名称が「やわらかデザイン脳になろう！」で、富士通グループをやわらかく、おもしろくする実験・実践コミュニティと位置づけられています。

これに対し、2021年末に同じくYammer上に誕生した新たなコミュニティが「やわらか社会をデザインしよう!」。そのコンセプトは「大人の社会見学（社会課題見学）」で、みんなで社会をより良くするための実験・実践コミュニティと位置づけられています。

これまでの「やわデザ」が富士通グループ内の個人や組織課題をテーマにしていたのに対し、新しい「やわデザ」のテーマは社会課題です。

その背景には、当然ながら「イノベーションによって社会に信頼をもたらし、世界をより持続可能にしていくこと」という富士通のパーパスや、パーパス実現を目指した新事業ブランド「Fujitsu Uvance」があります。

富士通が「持続可能な社会づくり」を経営やビジネスの軸に据える中、社員一人ひとりにも日々の仕事を通じて社会課題を解決し、持続可能な社会づくりに貢献したいという想いが広がりつつあります。「やわデザ」メンバーへのアンケートでも、そうした声が多かったことから、新たな「やわデザ」が誕生したのです。

大人の社会見学イベント「目的地は鬼ヶ島」

新しい「やわデザ」コミュニティは、既存の参加メンバーを一括登録することで、いきなり三千名近い規模からスタートしました。

「社会課題を解決する」というテーマから、難しい、堅苦しいイメージを持たれるかもしれ

大人の社会見学「目的地は鬼ヶ島」

ませんが、そこは「やわデザ」だけあって、気軽に参加しやすい場となっています。

現在の主な活動が「目的地は鬼ヶ島」という社内イベント。社会課題を「鬼」、社会課題に取り組んでいる外部の起業家を「桃太郎」に見立てたもので、ユニークなタイトル通り、社会課題に「笑い」をプラスしたイベントとなっています。

参加のハードルを下げるための「バラエティー番組のような演出」、参加者同士の交流を促す「みんなで楽しめる場づくり」、参加しやすいよう本業への影響を考慮した「ランチ&ディナータイムでの開催」といった工夫により、2022年5月に開催された第1回イベントでは、ピーク時には約三百名もの社員が視聴するほどの盛況ぶりでした。

「目的地は鬼ヶ島」では、演劇を通じて食に関する問題解決を図る「演劇ごはん」、誤嚥性肺炎の予防につながる口の周りの筋肉を鍛える「くちビルディング選手権」といったユニークな活動を紹介する「その手があったか！編」や、難民の就労を支援するNPOや妊娠で社会から孤立した女性に寄り添う助産師にスポットを当てた「ニュースの見方が変わる編」など、幅広い社会課題と、その解決に取り組む方々を紹介しています。

イベントを視聴した社員からは、次のような声が上がっています。

・話も演出も想像以上におもしろかった
・新しいことを始める方々のマインドに触れ、感動しました
・世の中の課題に対する理解を深めることは、人として大事なことだと思う
・知っているようで知らないことを知ることができる、まさに社会見学
・楽しいだけでなく、生き方を見直すきっかけにもなるイベントでした

このイベントを通じて、社会課題に対して興味や関心を持つ社員が増え、理解が深まることで、富士通全体のビジネスにもきっと好影響を与えるでしょう。

富士通グループだけでなく、多くの企業を巻き込んでいく

「やわデザ」に生じたもう一つの進化が、富士通グループ外への発信です。

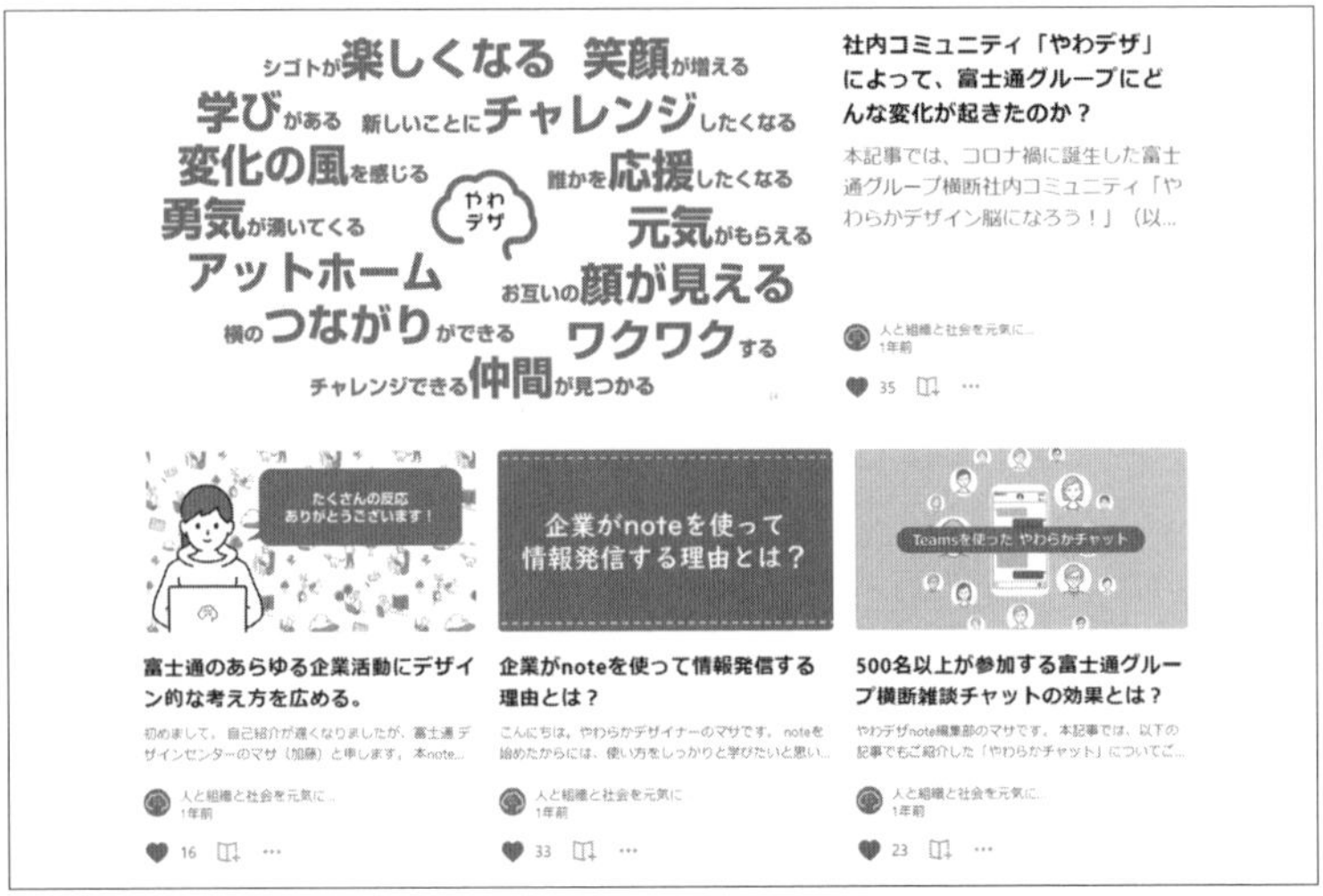

情報発信サービス「note」に掲載された「やわデザ」関連記事

きっかけとなったのは、2021年秋に開催された、富士通のグローバルフラッグシップイベント「Fujitsu ActivateNow 2021」でした。オンライン形式で世界同時開催されるこの一大イベントで、「やわデザ」を紹介する機会を得たことで、「お客様に『やわデザ』を紹介したい」との声がかかるようになりました。

また、新聞や雑誌、Webメディアで「やわデザ」が紹介される機会も増えていきました。これに伴って、組織の課題を抱える企業と対話する機会も増え、「やわデザ」運営メンバーも新たな気づきが得られる一方で、「やわデザ」のような組織横断型オンライン・コミュニティが課題解決につながりうるとの手応えを、あらためて感じることができました。そこから、企業間のコラボレーションを通じて「やわデザ」の成果をお裾分けできないだろうかと考えたのでした。

もともと立ち上げメンバーの間では、「組織間の壁」や「グループ企業間の壁」だけでなく、「社内外の境界」も越えていこうとの考えがありました。2021年末からnote上で「やわデザ」に関する記事を掲載し、社外も含めた情報発信を行ってきたのも、その一環であり、先述したリコー様との交流もnoteの記事がきっかけで生まれたものです。

さらに、2022年4月からスタートした企業間やわらかネットワーク「あすよみDX」のように、他企業を巻き込んだ取り組みもスタート。「やわデザ」は、より多様な人々を巻き込むコミュニティへと進化しつつあるのです。

「やわらかデザイン」とは、個人を、組織を、社会をやわらかく変えること

富士通のパーパスにもあるように、私たちは自らが持続可能であるために、自身が属する組織、さらには社会を持続可能なものにしていく必要があります。

「やわデザ」流に言い換えれば、私たちが毎日を楽しく、おもしろく生きていこうとするなら、楽しくておもしろい組織で働き、楽しくておもしろい社会に暮らしたいもの。

しかし、心の中でそう願っているだけでは、組織や社会が変わることはありません。組織や

「やわらかデザイン」で社会を変えていく

社会の構成要素である私たち一人ひとりが変えることができるのは、自分自身だけです。「やわデザ」のような組織横断型オンライン・コミュニティは、そのきっかけを提供してくれるかもしれませんが、行動するかどうかを決めるのはあなた自身なのです。

一人ひとりの考え方や姿勢、行動が変わり、その輪を広げていくことで、所属する組織や、その集合体である会社を変えることができます。そうした動きが多くの会社に広がることで、はじめて社会に変化をもたらすことができるでしょう。

逆に言えば、個人が変わることができなければ、組織も、会社も、そして社会も変えることができません。

デザイン思考と組織横断型オンライン・コミュニティを活かして、まずは一人ひとりが「やわらかデザイン脳」になる。そして共感と信頼でつながった新たな仲間とともに、所属する組織を「やわらか組織」に変えていく。さらには多くの企業を巻き込むことで「やわらか社会」を実現していく。それこそが「やわらかデザイン」の目指す姿であり、この本を出版した意義も、そこにあります。

お読みいただいたみなさんも、一緒に「やわらかデザイン」を実践してみませんか?

あとがき

大企業のカルチャー変革は想像以上に大変です。何しろ「文化」を変えるわけですから。

富士通グループの全社DX活動「フジトラ」のスタートから、約3年が経ちました。現在の社内は、「変革の風」が吹いているところもあれば、「無風」「逆風」のところもあります。制度や仕組みを変えることは簡単ですが、社員のマインドセットや行動が変わるまでには時間がかかります。企業文化を変えるには、当然ながら長期的な視点が必要不可欠です。

それでも、かつては路地裏の一角で行われていた日の目を見ない活動が、今では駅前広場で行われるようになりました。今の富士通グループでは、社員が自社と自身のパーパスに基づき行動することが奨励され、挑戦することが期待されています。やろうと思えば、駅前広場でやりたいことを大きな声で叫んだり、仲間を募ってイベントを開催したりできるのです。

このように、駅前広場は、富士通グループの社員なら誰もが、常に最新の富士通カルチャーを感じ取ることができる場となっているのです。それが本書でご紹介した社内SNS（Yammerコミュニティ）の現在の状況です（なんとYammerの利用率国内No.1だとか！）。

これは、この数年間に起こった大きな変化の一つであり、おそらく社員の誰一人として、今

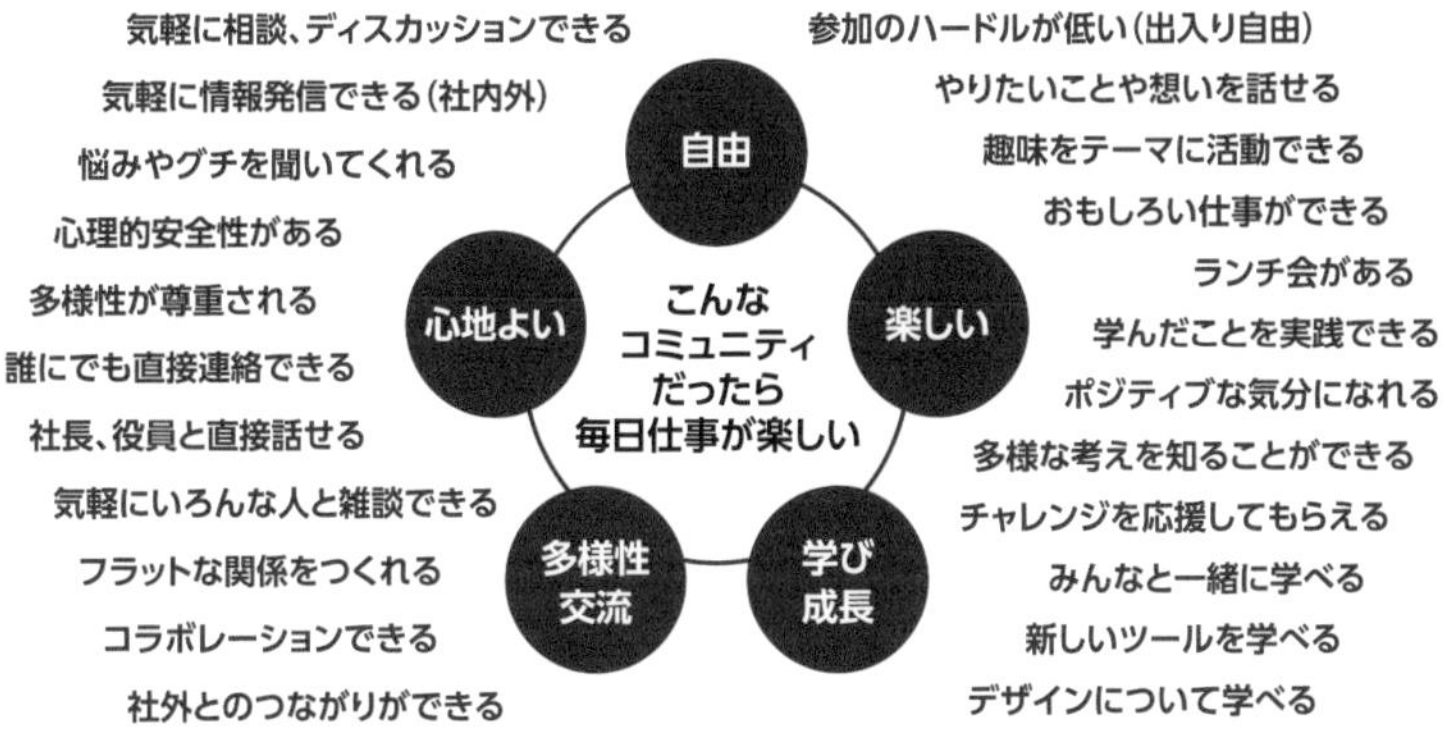

こんなコミュニティだったら、毎日仕事が楽しい

のような状況になることを予測できなかったのではないでしょうか。

昨今、社内コミュニティを活用して自社の変革を推進する企業が少しずつ増えています。そんな中、『やわデザ』のようなコミュニティをつくるにはどうすればよいのか？」と聞かれることがあります。

「やわデザ」では、立ち上げ後すぐに、コミュニティのありたい姿をみんなで共有するセッションを開催し、参加メンバー各自が考えるコミュニティの理想像を共有しました。そのアウトプットをまとめたものが上の図で、そこに書かれていることの多くが、今では「やわデザ」コミュニティの日常になっています。

参加したメンバーの多くが、互いに顔見知りではなかったけれど、最初から温かくて前向きで協力的な雰囲気のある集まりでした。誰よりも先に変革の風を感じ始めていた彼ら、彼女らは、当時は閑散としていた駅前広場で踊り始めた最初の集団にすぎません。それでも、楽しそうに踊っている彼ら、彼女らを見て、真似して踊る人々が少しずつ着実に増えていきました。気がつけば、駅前広場には様々なお店が並び、様々な村から集まった人々が思い思いに歌ったり踊ったりし始めました。楽しそうでにぎやかな場所には、「何事か」とさらに人が集まってくるものです。

まるで情景が思い浮かぶような広場の例え話から、「やわデザ」コミュニティづくりのエッセンスを学ぶことができます。上司から与えられた仕事やミッションも大切ですが、その前に大切なのは、あなた自身が「何をしたいのか？」「どんな場や世界を望んでいるのか？」です。誰かが仕事のために仕方なくつくったコミュニティ（誰も望まないことをさせられる意図が色濃く感じられる場）に、いったい誰が喜んで参加するでしょうか。今の「やわデザ」カルチャーは、コミュニティを立ち上げたときからすでに存在していたのです。

本書では「やわデザ」を事例にコミュニティづくりのエッセンスをご紹介しましたが、コミュニティづくりに唯一の正解はありません。「やわデザ」にも、立ち消えになった企画や、始めたものの思ったより広がらなかった取り組みなど、数多くの試行錯誤がありました。それでも目的をブラすことなく、コミュニティの状況やメンバーの様子をよく観察して、幾度となくやり方を変えました。こうした「やわデザ」のコミュニティづくりのアプローチが、まさにデザイン思考やＤＸの実践と言えるでしょう。

本書の出版も「やわデザ」メンバーとのコラボレーションの結果、生まれたアウトプットの一つです。直接のきっかけとなったのは、富士通社内で発表し、優秀論文賞に選ばれた論文です。論文がきっかけとなりフジトラとデザインセンターがコラボして行われたオンラインイベントでの講演が実現し、本書の企画の話へとつながります。「広げる活動」にまた一つ新たな活動が加わり、153ページの「コミュニティづくりの活動フレーム」にも「論文」「書籍」「講演」といった項目を追加できるでしょう。

そして、本書についても「やわデザ」コミュニティの価値や多様性を活かすべく、「やわらか出版」チャットグループを開設し、参加を呼びかけたところ、あっという間に約160名が参加するコミュニティが誕生。出版社である富士通ラーニングメディアの社長も参加し、時には雑談も交えながら毎日のように活発なやり取りが行われていました。

このチャットグループでは、書籍タイトルのブレストから、表紙デザインや原稿のレビューもできる限りみんなで行いました。最初に投稿した第1章の初校には、たった1日で140個以上もの膨大なコメントが付くほど。これにはライターをはじめ、出版社や編集プロダクションもビックリでした。

多くの方がご存じのように、大企業は一般的に失敗やミスをできる限り避けようとします。逆に言えば、先例や前例があれば、新たな取り組みを採用するハードルがぐっと下がるということです。今の時代に合わなくなった組織風土や企業カルチャーを変えたいと日々奮闘している、もしくは諦めかけているみなさんが本書を手に取り、自社や自組織の変革のために有効活用することを願ってやみません。

最後になりますが、この本の執筆に直接あるいは間接的に応援・ご協力いただいた多くの方々に心から感謝申し上げます。特に、「やわデザ」コミュニティの初期メンバー、それ以前から組織横断的なイノベーション活動に関わってくださった富士通グループ社員のみなさん（退職者も含む）、他企業等にお勤めのみなさんには深く感謝しております。みなさんとの対話や実践による探求がなければ、「やわデザ」コミュニティや本書も生まれることはなかったでしょう。ありがとうございました。

2023年4月

「やわデザ」コミュニティメンバーを代表して　加藤正義（マサ）

本書の編纂にご協力いただいた「やわらか出版チャット」メンバー

(五十音順)

青山 紗季
青山 昌裕
赤坂 英貴
赤津 泰幸
秋野 愉香
秋谷 歩美
秋山 友子
淺間 康太郎
足立 美咲
有馬 由佳
在家 加奈子
安藤 俊
池添 善人
池田 賢
石井 稔久
石井 靖彦
石川 藍佳
石川 頌平
石川 大地
石田 皓平
石原 幸治
磯田 依里
板垣 美奈子
井谷 優花
伊藤 直彦
伊藤 優
井上 玲於
今井 由美子
入江 琴子
岩城 史生
岩田 恵美
植木 弥生
上坂 浩史
上野 智久
宇高 啓子
江里口 耕平
太田 博千
大塚 啓雄
大塚 幸夫
大辻 晶
岡田 恵梨
岡田 有佳
岡村 直樹
岡本 弘次
長田 春風
數野 雅則
片山 朋恵
加藤 希
加藤 文康
加藤 正義
加藤 夕貴
金子 勲
上出 ひと美
川口 智史
川西 利治
河邉 沙織
神藏 茉有
神原 由美子
木下 祐史
久我 聡子
久保 勝彦
久保 佐知恵
久保田 真木
栗林 陽子
黒田 貴裕
兒嶋 大輔
小林 美和
小峰 正美
酒井 幸平
酒井 良子
佐甲 格
佐々木 詠子
笹本 真
佐藤 陽
佐藤 僚哉
佐野 雅哉
澤田 香
椎根 賢
重松 真人
柴田 朗子
城光 潤
白鳥 瑞帆
杉本 真正
須藤 聡
関 恭一
関原 寿子
瀬沼 豪
芹沢 香織
仙石 史
曽根崎 輝太
高城 博章
高橋 誠
高橋 正裕
高橋 美和
高畑 晋
高柳 佳代子
滝 笑佳
田口 洋一
竹田 義浩
竹本 亜紀子
田代 真人
多田 真須美
巽 利郎
巽 晴子
田中 由加
谷口 潤子
垂石 浩章
辻 恭子
土屋 勇人
角田 直大
鶴岡 啓子
手塚 由紀子
外河 秀己
轟木 美穂
仲村 優里
中村 陸人
仁科 沙緒理
仁田脇 保輝
二武 榛香
野口 奈々
羽尻 知佳子
服部 洋子
花澤 史子
浜口 統一
林 祐貴
久野 慎弥
日高 美香
櫃田 佳波
日水 真理
廣田 恭子
深澤 杏香
福島 誠也
福田 直樹
福田 紘子
福田 譲
藤井 守
藤田 るり子
別所 美奈子
星川 光代
前田 茂晴
松井 晶子
松尾 あゆみ
松尾 美貴
真次 純
松下 直弘
松本 国一
松本 恵太
三上 貴司
宮奥 人至
宮坂 鷹秀
宮澤 多恵子
三好 順
望月 俊昇
森本 知恵
山口 冴子
山口 由美子
山田 一美
山田 佳奈
吉田 明史
吉田 徹治

社内SNSを活用して企業文化を変える やわらかデザイン

(FPT2303)

2023年５月11日　初版発行

著作／制作　株式会社富士通ラーニングメディア
監修　富士通デザインセンター

発行者　青山　昌裕

発行所　FOM《エフオーエム》出版（株式会社富士通ラーニングメディア）
〒212-0014　神奈川県川崎市幸区大宮町１番地５　JR川崎タワー
https://www.fom.fujitsu.com/goods/

印刷／製本　株式会社広済堂ネクスト
制作協力　株式会社ウララコミュニケーションズ

ISBN978-4-86775-050-6